Donald W. Winnicott

# Kinder

## Gespräche mit Eltern

Aus dem Englischen von Ulrike Stopfel und Irmela Köstlin

Psychosozial-Verlag

Titel der Originalausgabe:
*Talking to Parents*
© The Winnicott Trust
Published by arrangement with The Marsh Agency

Bibliografische Information der Deutschen Nationalbibliothek
Die Deutsche Nationalbibliothek verzeichnet diese Publikation
in der Deutschen Nationalbibliografie; detaillierte bibliografische Daten
sind im Internet über http://dnb.d-nb.de abrufbar.

Unveränderte Neuauflage der Ausgabe von 1994 (Stuttgart: Klett-Cotta)
Deutsche Übersetzung von Ulrike Stopfel und Irmela Köstlin
© Klett-Cotta, Stuttgart 2023
© 2024 Psychosozial-Verlag GmbH & Co. KG, Gießen
info@psychosozial-verlag.de
www.psychosozial-verlag.de
Umschlagabbildung: Maurice Denis, *Die Krone (La couronne)*, um 1901
Umschlaggestaltung nach Entwürfen von Hanspeter Ludwig, Wetzlar
ISBN 978-3-8379-3336-9

# Inhalt

5

# Dank

Madeleine Davis hat die Fertigstellung dieses Buches nicht mehr erlebt; sie starb über den letzten Vorbereitungen. Verlag, Herausgeber und die Mitglieder des Winnicott Trust möchten ihr daher auf diesem Wege Dank und Anerkennung für ihre liebenswürdige und überlegte Mitwirkung bei der Herausgabe des vorliegenden Bandes sowie vorausgegangener Werke D. W. Winnicotts aussprechen.

Der Dank der Herausgeber geht auch an Tavistock Publications für die freundliche Erlaubnis, bereits veröffentlichtes Material hier erneut abzudrucken, an die BBC, ohne deren Weitblick viele der hier veröffentlichten Ansprachen vielleicht gar nicht gehalten worden wären, und an Claire Rayner für ihren interessanten Beitrag zu Kapitel 8.

# Der Autor Winnicott

Wenn man diese zum großen Teil noch unveröffentlichten Texte von Donald Winnicott liest, hat man das Gefühl, nach einem mühseligen Gang durch die Wüste zu einer erfrischenden Quelle zurückgekehrt zu sein. Jeder einzelne Text ist eine Wohltat.

Schon der Umstand, daß Winnicott sich über die Medien direkt an die Eltern wandte, ist sehr interessant. Seine Idealfigur, als die »hinreichend fürsorgliche Mutter« längst in die Literatur eingeführt, ist bekanntlich eine Frau, die ihr Kind versorgt, ohne weiter darüber zu reflektieren. Daß er seine Vorstellungen von Kindererziehung über den Rundfunk verbreitete, könnte so aufgefaßt werden, als habe er seine Ideen anpreisen wollen. Aber wie es für ihn typisch ist, läßt er einen solchen Eindruck gar nicht erst aufkommen. Er versucht nicht, die Eltern zu instruieren; er will ihnen vielmehr helfen zu verstehen, was sie da eigentlich tun, und sie dann in dem, was sie getan haben, bestätigen. Ein Satz wie dieser: »Man kann nur feststellen, daß man genauso gehandelt oder sich ... ungeschickter verhalten hätte« zeigt beispielhaft diese einfache, aber wirkungsvolle Art, Eltern den Rücken zu stärken, anstatt ihnen in Übervatermanier und von der Warte des Experten her zu sagen, was sie gefälligst *nicht* tun sollen.

Mein ganzes Berufsleben lang habe ich in Donald Winnicott einen bewundernswerten Lehrer gesehen, der mir mit seiner Art, die pädiatrische Sicht mit den Erkenntnissen der Kinderpsychiatrie und der Kinderanalyse zu verbinden, zum Vorbild wurde. Seine brillanten eigenen Einsichten erwachsen aus der fundierten Kenntnis der Prozesse, die zwischen Mutter und Kind ablaufen, und aus der festen Überzeugung, daß die meisten Menschen sich sehnlichst wünschen, ihre Sache als Eltern gut zu machen. Diese Texte sind voll von

Kommentaren, die positiv verstärkend, befreiend und beruhigend auf Eltern wirken werden, denn sie kommen ihrem Urheber wirklich von Herzen und zeugen darüber hinaus von seiner höchst amüsanten Art zu denken.

Winnicott sagt nachdrücklich, daß er mit diesen Ansprachen nicht bezweckt, Eltern zu sagen, was sie tun sollen. Er will vielmehr 1. das gesamte Gebiet der Kindererziehung sozusagen entgiften, er will 2. den Eltern Zuversicht vermitteln in bezug auf das, was sie getan haben, und er will ihnen 3. Mut machen, sich gezielt um Hilfe zu bemühen, wenn sie bei der Erziehung ihrer Kinder auf Schwierigkeiten stoßen. Immer wieder kommt er dabei auf den elterlichen Instinkt zu sprechen, das Richtige zu tun, ein Instinkt, mit dem aber doch auch jenes unvermeidliche Schuldgefühl und die Ambivalenz einhergehen, die sie erst zu den hellhörigen Eltern machen, die sie sind. Winnicott scheut sich nicht, den bekannten »gesunden Menschenverstand« sprechen zu lassen – so zum Beispiel, wenn er sagt, daß es sinnvoll sein könnte, »glücklose« Stiefeltern zusammenzubringen: »Es wären nämlich ganz normale Männer und Frauen, die an einem solchen Treffen teilnähmen.« Auch er ist der Meinung, daß Stiefvater oder Stiefmutter zu sein keine dankbare Rolle ist.

Zum Problem des Daumenlutschens gibt Winnicott die beste Erklärung, die ich je gehört habe: Mit diesem Verhalten setzt das kleine Kind zum erstenmal seine Imaginationsfähigkeit ein. Das reale Erlebnis des Daumenlutschens erfährt durch die imaginierte Brust oder Flasche eine Bereicherung. Zum erstenmal macht das Kind so die Erfahrung, daß es sich sein Liebesobjekt selbst erschaffen kann. Wer wollte ihm diese Erfahrung nehmen?

In diesen Vorträgen geht es vornehmlich um die elementaren Schritte, die nötig sind, um das jeweils angesteuerte Erziehungsziel zu erreichen. Solche elementaren Schritte sind zum Beispiel die drei Stadien des Nein-Sagens. Zunächst tragen die Eltern die volle Verantwortung für das hilflose Kind (erstes Lebensjahr); dann bringen sie ihm das Wörtchen »nein« bei sowie andere Wörter, die mit einer

Gefahr assoziiert sind, zum Beispiel »heiß« (zweites Lebensjahr); und schließlich drehen sie den Spieß gewissermaßen um: Sie setzen nämlich jetzt auf den Umstand, daß das Kind sich ja schon wiederholt für oder gegen etwas entschieden hat und sich seiner relativen Hilflosigkeit bewußt ist, und geben ihm verbale Erklärungen (drittes Lebensjahr).

Oder denken wir an ein anderes Thema, das Eltern sehr am Herzen liegt, an die Frage, wie Eifersucht wieder verschwindet. Winnicott gibt eine wunderbar knappe Erklärung: Irgendwann löst die Eifersucht sich auf, und zwar zunächst durch Identifikation mit der Person, der die Eifersucht galt, und dann mit der eifersüchtig beobachtenden Mutter und deren Gefühlen. Das Kind nutzt seine Imaginationsgabe, um die Perspektive eines anderen einzunehmen (Empathie).

Am besten gefällt mir das Kapitel, in dem es darum geht, was denn nun eigentlich als das Ärgerliche und Lästige an der Kindererziehung empfunden wird. In diesem Kapitel legt Winnicott dar, daß Eltern auch ihre negativen Gefühle als normal, ja sogar als gesund ansehen dürfen. Er erinnert daran, daß das, was schief läuft, immer als etwas Lästiges empfunden wird, während über das, was glatt geht, überhaupt nicht gesprochen wird. Der Elternalltag ist aber nun einmal mühselig: »Deshalb wird es wohl auch in Zukunft so sein, daß Kinder ihren Müttern auf die Nerven gehen, aber auch, daß Mütter froh und glücklich sind, Opfer ihrer Kinder sein zu dürfen.«

Winnicott gibt gewissermaßen eine konzentrierte Darstellung der elterlichen Rolle. So schließt zum Beispiel das Kapitel 8 mit der provokativen Überlegung, daß eine Mutter, der Schuldgefühle und ambivalente Gedanken fremd sind, die Bedürfnisse ihres Kindes einfach nicht erspüren kann. – Wer dieses schöne kleine Buch liest, dem geht wirklich auf, welche Herausforderung es bedeutet, ein Kind zu erziehen. Zugleich wird aber auch deutlich, daß die Rolle der »guten Mutter« zu den dankbarsten gehört, die man sich vorstellen kann. Welch ein begnadeter Geist war Donald Winnicott!

T. Berry Brazelton

# Vorwort der Herausgeber
## der englischen Ausgabe

In der Zeit zwischen 1939 und 1962 hielt Donald Winnicott rund fünfzig Rundfunkansprachen, die sich nahezu ausnahmslos an Eltern richteten. Wer sie nachliest, stellt fest, daß Winnicott hier höchst brillante und überzeugende Vorstellungen ausbreitete. Eine Auswahl der frühesten dieser Ansprachen, gegen Ende des Krieges von der Produzentin Janet Quigley ausgestrahlt, erschien später in schriftlicher Form unter dem Titel *Getting to Know Your Baby* (dt.: *Wie man sein Kind kennenlernt*). Eine weitere Folge aus den Jahren 1949 und 1950, von Isa Benzie betreut, erschien in ähnlicher Aufmachung unter dem Titel *The Ordinary Devoted Mother and her Baby*. Beide Veröffentlichungen waren rasch vergriffen. Ärzte dürfen bekanntlich keine Eigenwerbung betreiben, und entsprechend war Winnicott als Autor der Rundfunksendungen nicht genannt worden. Dennoch entstand so etwas wie eine Zuhörergemeinde, in der immer wieder der Wunsch geäußert wurde, diese Ansprachen möchten veröffentlicht werden. So kam es, daß sie schließlich den Grundstock eines Buches abgaben, das unter dem Titel *The Child and the Family* 1957 von Janet Hardenberg bei Tavistock Publications herausgegeben wurde; eine Anzahl weiterer Ansprachen, bei denen es im wesentlichen um das Problem der Evakuierung während des Krieges ging, erschien unter dem Titel *The Child and the Outside World*. Im Jahre 1964 kam bei Penguin eine Auswahl aus beiden Bänden unter dem Titel *The Child, the Family, and the Outside World* (dt.: *Kind, Familie und Umwelt*, München 1969) heraus.

Ende 1968 waren 50 000 Exemplare dieser letztgenannten Ausgabe verkauft. Das Ereignis wurde gefeiert, und Winnicott verfaßte zu diesem Anlaß eine kurze Ansprache. Darin berichtet er, wie er seinerzeit, aus Anlaß der ersten

Sendung, das BBC-Gebäude in Langham Place aufgesucht hatte und dabei mit seinem Auto durch die Scherben gefahren war, die der Luftangriff der vorangegangenen Nacht hinterlassen hatte. Dann bedankte er sich für die Hilfe, die er im Zusammenhang mit den Ansprachen der Jahre 1949 und 1950 durch Isa Benzie erfahren hatte. Sie war begeistert, sie hatte Vertrauen zu ihm, und sie war es, die »den Begriff der ›hinreichend fürsorglichen Mutter‹ aus dem, was ich gesagt hatte, herausschälte.« Wörtlich heißt es weiter: »Dieser Begriff wurde sofort zu einer Art Aufhänger, an dem wir andere Dinge festmachen konnten, und er kam mir auch insofern entgegen, als ich weder idealisieren noch lehren oder Propaganda treiben wollte. Ich konnte damit eine Form der Kinderbetreuung schildern, wie sie ohne großes Reflektieren überall stattfindet.«

Übrigens weist Winnicott im gleichen Text ausdrücklich darauf hin, daß er nach dem Krieg zwar weiterhin psychiatrisch mit Kindern gearbeitet, seine Praxis als Kinderarzt aber nicht wieder aufgenommen hatte und deshalb zu dieser Zeit nicht mehr so hautnah mit der Mutter-Kind-Beziehung konfrontiert war wie früher. Im Blick auf seine Ansprachen im Rundfunk erschien es ihm daher nötig, »die klinische Flamme von neuem zu entfachen«, das heißt Material heranzuziehen, das »den regressiven Erfahrungen psychoanalytischer Patienten entstammte, und zwar zum großen Teil erwachsener Patienten, die mir eine Nahaufnahme der Beziehung Mutter-Kind (Eltern-Kind) lieferten... Damals, in den späten vierziger Jahren, als ich diese BBC-Sendungen machte, war ich in einer einmaligen Lage – ich konnte meine Patienten sowohl von einer pädiatrischen Warte als auch aus der mir eigenen psychoanalytischen Perspektive beobachten. Bei meinen Rundfunksendungen mußte ich mich selbstverständlich an die Sprache der Pädiatrie halten – obwohl die Pädiatrie für mich inzwischen schon zum Ort der Beschäftigung mit dem emotionalen Band zwischen dem kleinen Kind und der Mutter geworden war, wobei ich (wie man das in der Regel ja tun kann) von der Voraussetzung physischer Gesundheit ausging. Ich hatte mich bereits von der ›Versorgung des kleinen Kindes‹ in Richtung der ›engen wechselseitigen Beziehung von Mutter und Kind‹ bewegt.«

Winnicotts Buch *The Child, the Family, and the Outside World* (dt.: *Kind, Familie und Umwelt,* München 1969) hat sich seine Popularität bis heute bewahrt. Noch immer werden jährlich Tausende von Exemplaren verkauft. In den Vereinigten Staaten ist kürzlich eine Neuauflage erschienen.

Das vorliegende Bändchen versammelt alle Rundfunkansprachen, die Winnicott nach 1955 gehalten hat. Nur zwei von ihnen wurden zuvor schon einmal veröffentlicht: »Now They Are Five« (»Das Kind von fünf Jahren«) (unter dem Titel »The Five-Year-Old«) und »Security« (»Sicherheit«) (unter dem Titel »On Security«), und zwar in *The Family and Individual Development* (dt.: *Familie und individuelle Entwicklung,* München 1978). Sie sind der Vollständigkeit halber hier ebenfalls aufgenommen. Des weiteren finden sich hier zwei Abhandlungen, die nicht für den Rundfunk geschrieben wurden: »Health Education through Broadcasting« (dt.: »Gesundheitserziehung über den Rundfunk«) erscheint als einführendes Kapitel, weil es so klar die Ziele benennt, die Winnicott bei seinen Rundfunksendungen am Herzen lagen; zusätzlich drucken wir »The Building up of Trust« (dt. »Streß im Vorschulalter: Die Bildung des Vertrauens«) ab, weil diese Abhandlung speziell für Eltern geschrieben wurde, an die Winnicott sich, von seinen Rundfunksendungen einmal abgesehen, ansonsten sehr selten wandte; sie ist bisher noch nicht veröffentlicht worden und enthält – als eine Äußerung aus seinen letzten Lebensjahren – grundlegende Gedanken über Kinder und ihre Eltern, mit denen er sich sein ganzes Leben lang getragen hat. Wir haben nicht herausgefunden, aus welchem Anlaß diese Abhandlung geschrieben wurde.

Zusammenstellung und Bearbeitung der Texte waren beim Tode von Clare Winnicott im Jahre 1984 nahezu abgeschlossen. Die Bearbeitung beschränkte sich auf ein

Minimum: An den Rundfunkansprachen wurde so gut wie nichts verändert, denn offensichtlich hatte Winnicott sie schriftlich ausgearbeitet, bevor er sie vortrug; sie fanden sich als maschinengeschriebene Texte in seinem Nachlaß. Ausnahmen sind die beiden Ansprachen an Stiefmütter und die Diskussion mit Claire Rayner über das Phänomen des Schuldgefühls. Diese Texte wurden vom Tonband transkribiert; sie haben also nicht die Qualität schriftlicher Ausarbeitungen. Das gilt auch für die Gespräche der Mütter untereinander, die in einen Teil der Rundfunkansprachen eingebaut sind. Diese Mütter waren vom Rundfunk eingeladen worden, ihre Gespräche wurden aufgezeichnet, und Winnicott gab seine Kommentare dazu einen oder mehrere Tage später ab. Der spontane Charakter dieser Äußerungen ist ein wesentliches Kennzeichen des gesamten Unternehmens.

London, 1992                                Christopher Bollas
                                            Madeleine Davis
                                            Ray Shepherd

15

# 1
# Gesundheitserziehung über den Rundfunk

Mit dem, was ich hier niederschreibe, komme ich einer Aufforderung nach. »Gesundheitserziehung über den Rundfunk« ist ein Thema, das mich interessiert, seitdem ich hin und wieder über den Rundfunk zu Eltern spreche. Dabei muß ich allerdings klarstellen, daß ich im Grunde für diese Form der Massenerziehung nicht viel übrig habe. In einem so großen Zuhörerkreis finden sich immer Leute, die nicht deshalb zuhören, weil sie etwas lernen wollen, sondern nur zufällig oder »aus Spaß« zuhören oder die im Augenblick keine Hand frei haben, um das Radio abzustellen, weil sie sich gerade rasieren oder einen Kuchen backen. Man muß doch sehr bezweifeln, ob es unter diesen Umständen sinnvoll ist, überhaupt irgend etwas von Wichtigkeit vermitteln zu wollen.

Man kann das einmal mit dem Schulfunk vergleichen: Da haben wir es mit Kindern eines ganz bestimmten Alters zu tun, die sich auf eine nette und nicht allzu anstrengende Weise mit einem Thema beschäftigen und die in der Erwartung vor dem Radio sitzen, jetzt für eine Weile auf interessante und ungewöhnliche Art belehrt zu werden. Wer im Radio über Fragen der Gesundheit sprechen will, kann nicht in dieser Weise auf einen ganz bestimmten Zuhörerkreis hoffen.

Wenn ich hier von Gesundheitserziehung spreche, dann meine ich eher die seelische Gesundheit, nicht eine Erziehung im Blick auf physische Gesundheit und die Verhinderung oder Behandlung von Krankheiten. Vieles von dem, was ich zu sagen habe, ließe sich allerdings in jedem Vortrag über Gesundheit unterbringen, denn in meinen Augen ist Gesundheitserziehung immer psychologischer Art. Wer sich einen Vortrag über Rheumatismus oder Blutkrankheiten anhört, tut das ja in der Regel nicht aus einem wissenschaftlichen Interesse an diesem Thema oder aus einem Hunger nach Fakten; er tut es vielmehr, weil er auf eine irgendwie krankhafte Weise an Krankheit interessiert ist. Mir scheint, daß dies für jede Form der Gesundheitserziehung gilt, gleich welches Medium man benutzt, nur daß die Sache beim Rundfunk insofern komplizierter ist, als man hier annehmen muß, daß die große Mehrheit der Zuhörer gar nicht daran interessiert ist, überhaupt etwas zu erfahren, sondern nur darauf wartet, daß die Musik wieder anfängt. Vielleicht tue ich den Zuhörern unrecht, aber ich kann mir nicht helfen – dieses Gefühl beschleicht mich jedesmal, wenn ich die optimistische und beruhigende Stimme des »Doktors« höre, der so anrührend über den Rhesusfaktor, die rheumatoide Arthritis oder den Krebs spricht.

Auf jeden Fall möchte ich hier aber einen konstruktiven Vorschlag machen, was die Gesundheitsberatung im Rundfunk angeht: Jede Art von Propaganda oder Vorschrift ist von Übel. Indoktrination ist eine Zumutung, auch dann, wenn sie nur »zum Besten« der Angesprochenen betrieben wird, es sei denn, sie wären anwesend und hätten so die Möglichkeit, gleich zu reagieren, sich zu beteiligen oder ihr Mißfallen zu äußern.

Gibt es eine Alternative, auf die wir uns einlassen könnten? Ja, eine Alternative bietet sich an: Man kann versuchen, sie auf das zu konzentrieren, was normale Leute normalerweise tun, und eine Erklärung dafür zu liefern, warum sie es tun. Dahinter steht der Gedanke, daß das, was »die Leute« tun, unter den gegebenen Umständen sehr häufig wirklich sinnvoll ist. Immer und immer wieder hört man von Müttern, wie sie in dieser oder jener Situation mit ihrem Kind zurechtkommen, und am Ende stellt man erstaunt fest, daß man solchen Eltern nicht sagen kann, was sie tun sollen; man kann nur feststellen, daß man (unter den geschilderten Umständen) genauso gehandelt oder sich allenfalls ungeschickter verhalten hätte.

17

Was die Leute sehr wohl mögen: daß man ihnen die Schwierigkeiten, mit denen sie sich herumschlagen, verständlich macht und ihnen die Dinge ins Bewußtsein ruft, die sie rein intuitiv tun. Sie fühlen sich nämlich unsicher, wenn sie nur auf eine Ahnung hin handeln, auf etwas, das ihnen im entscheidenden Augenblick »kommt« – wenn sie die Dinge gedanklich nicht ganz zu fassen bekommen.

Vielleicht haben die Eltern dem Kind einen Klaps gegeben, vielleicht haben sie es in die Arme genommen, oder sie haben ganz einfach gelacht. Sie haben etwas unternommen, was unter den gegebenen Umständen richtig war – sie hätten gar nicht besser handeln können. Niemand hätte ihnen sagen können, was sie in dieser Situation hätten tun sollen, weil diese Situation im vorhinein gar nicht zu beschreiben gewesen wäre. Hinterher besprechen sie die Sache dann allerdings – sie überlegen hin und her, wissen oft gar nicht so recht, was sie eigentlich getan haben, und sind sich auch über das Problem selbst nicht im klaren. In solchen Augenblicken fühlen sie sich schuldig, und dann wenden sie sich schleunigst an jemanden, der sich sachverständig zu den Dingen äußern und Anweisungen geben kann.

Erziehung kann sich auf alles erstrecken, die Menschen tun und getan haben – und zwar auf gute Weise –, seitdem es auf der Erde überhaupt Menschen gibt, die menschlich handeln. Wenn man den Leuten verständlich machen kann, was sie tun, dann sind sie weniger ängstlich, sie gewinnen an Selbstsicherheit und bemühen sich, sobald sie wirklich im Zweifel sind, nicht um Rat, sondern um Information. Daß sie sich um *Information* bemühen, liegt daran, daß sie allmählich eine Vorstellung davon bekommen, an wen sie sich wenden könnten. Sie fangen an zu begreifen, daß es durchaus möglich ist, in Fragen des Denkens, des Fühlens und des Verhaltens eine objektive Haltung einzunehmen; sie sind weniger mißtrauisch gegenüber wissenschaftlichen Erklärungen, und dies selbst in Fällen, in denen die Wissenschaft inzwischen in Bereiche vorgedrungen ist, die bisher die alleinige Domäne der Religion gewesen sind.

Ich bin der Meinung, daß man erst einmal sehen muß, was die Menschen fühlen und denken und tun; in dieser Hinsicht gibt es noch viel zu tun. Es ist die Grundlage, von der man ausgehen, auf der man Diskussion oder Unterweisung aufbauen muß, damit die Dinge am Ende auch wirklich verstanden werden. Nur so lassen sich Informationen vermitteln, ohne daß dadurch das Selbstvertrauen des Hörers untergraben würde. Dabei besteht allerdings *eine* Schwierigkeit: Diejenigen, die hier etwas vermitteln wollen, müssen genug wissen, und sie müssen auch wissen, wann sie selbst *nichts* wissen.

In manchen Rundfunksendungen, die sich an Eltern wenden, klingt so etwas an wie: »Sie müssen Ihr Kind lieben; wenn Sie Ihr Kind nämlich nicht lieben, dann leidet es, dann wird es eines Tages straffällig werden.« »Sie müssen Ihr Kind stillen; Sie müssen Freude daran haben, Ihr Kind zu stillen; das Stillen muß Ihr allerwichtigstes Anliegen sein.« »Sie müssen Ihr Kind vom Augenblick seiner Geburt an lieben; es ist unnatürlich, sein eigenes Kind nicht zu lieben...« – und so weiter und so fort. All das läßt sich sehr leicht sagen und kann, einmal ausgesprochen, schreckliche Wirkungen haben.

Es wäre sinnvoll, Mütter darauf hinzuweisen, daß die eine oder andere Frau ihr Kind *nicht* schon vom ersten Augenblick an liebt; ihnen zu erklären, daß und warum manche Mütter sich außerstande sehen, ihr Kind zu stillen; und deutlich zu machen, daß Liebe nicht einfach ein Instinkt ist, sondern eine komplizierte Sache.

Ich möchte an dieser Stelle auch sagen, daß man in einer Rundfunksendung nicht auf gravierende Abnormitäten eingehen kann, weder auf seiten der Mutter oder auf seiten des Kindes noch vor allem auf seiten der Eltern. Wenn jemand Schwierigkeiten hat, dann ist ihm nicht damit gedient, daß man ihn als krank bezeichnet. Wenn kranke Menschen uns um Hilfe bitten, dann müssen wir diese Gelegenheit nutzen, um sie nach Kräften zu entlasten; wir richten aber nur zu leicht Unheil an, wenn wir ihnen das Gefühl geben, sie seien krank, ohne ihnen eine Behandlung anbieten zu können.

So gut wie jeder Ratschlag, den man über den Rundfunk erteilt, wird irgendwo auch Verunsicherung oder Ärger auslöşen. Vor kurzem habe ich darüber gesprochen, daß man einem Adoptivkind sagen sollte, daß es ein Adoptivkind ist. Mir war selbstverständlich klar, daß ich damit etwas riskierte. Kein Zweifel, daß ich viele Zuhörer beunruhigt und verärgert habe, aber *eine* Mutter, die die Sendung gehört hatte, machte sich von weither auf den Weg, um mir genau zu erklären, warum es *in ihrem Fall* sehr gefährlich wäre, ihrer Adoptivtochter die Wahrheit zu sagen. Ich mußte ihr beipflichten, auch wenn ich es grundsätzlich für richtig halte, Adoptivkinder aufzuklären, und zwar so bald wie möglich.

Wenn man Müttern sagt, sie sollten dies oder das oder jenes tun, dann geraten sie leicht durcheinander, und – was noch bedenklicher ist – sie büßen die Fähigkeit ein – die sie ja durchaus haben –, zu handeln, ohne genau zu wissen, was richtig und was falsch ist. Es passiert dann nur allzuleicht, daß sie sich den Dingen nicht mehr gewachsen fühlen. Wenn sie alles erst in einem Buch nachschlagen oder immer erst das Radio anstellen müssen, werden sie immer zu spät dran sein, denn es muß ja *sofort* das Richtige getan werden. Genau zum richtigen Zeitpunkt handeln kann man nur, wenn die Handlung intuitiv oder instinktiv erfolgt. Anschließend ist es dann möglich, sich dem Problem auch mit dem Verstand zu nähern, und wenn die Betroffenen anfangen, über die Dinge nachzudenken, ist es unsere Aufgabe, ihnen zu Hilfe zu kommen. Dann können wir miteinander darüber sprechen, welcher Art die Probleme sind, mit denen sie es zu tun haben, was sie angesichts dieser Probleme unternehmen und welche Wirkung sie sich von ihren Handlungen erwarten können. Ein solches Gespräch muß nicht damit enden, daß wir ihnen sagen, was sie tun sollen.

Schließlich und endlich: Ist es überhaupt richtig und angebracht, im Rundfunk über Kinderpsychologie zu dozieren? Ich bin mir nicht sicher, ob wir dazu überhaupt in der Lage sind. Im Grunde weiß man ja, daß eine solche Lehrtätigkeit (zum Beispiel vor Sozialarbeitern, Lehrern oder Ärzten) nur unter den entsprechenden Rahmenbedingungen möglich ist. Das heißt, sie sollte sich über eine bestimmte Zeitspanne erstrecken; die Teilnehmer haben so die Möglichkeit, über das, was man ihnen mitgeteilt hat, zu diskutieren, sie haben die Möglichkeit zu lesen, eigene Beiträge zu leisten und abweichende Ansichten vorzutragen. Selbst unter derart günstigen Umständen wird der eine oder andere Teilnehmer Schwierigkeiten damit haben, persönliche Schwierigkeiten, die damit zusammenhängen, daß die neuen Vorstellungen und Ansätze problematische Erinnerungen und verdrängte Phantasien wachrufen. Für manch einen bedeutet das, daß er sich mit neuen Erregungen auseinandersetzen und sein ganzes Weltbild neu ausrichten muß. Ein Kurs in Psychologie ist etwas anderes als ein Kurs in Physik oder Biologie.

Zweifellos ist es (unter sorgfältig kontrollierten Bedingungen) möglich, Eltern zu unterweisen. Bei Sendungen über den Rundfunk sind diese Bedingungen aber nicht gegeben. Versucht man es dennoch, so muß man den Themenkatalog beschränken und sich auf das konzentrieren, was »normalen Leuten« passiert. Unter dieser Voraussetzung kann man allerdings sehr viel tun, und es ist zu hoffen, daß die BBC dieses Angebot an die Allgemeinheit aufrecht erhält und Sendezeit für diese Form der Gesundheitserziehung reserviert.

(1957)

# 2
# Für Stiefeltern

## Die böse Stiefmutter

Gelegentlich wird die Meinung geäußert, daß Vorstellungen wie diejenige von der bösen Stiefmutter gar nicht hätten aufkommen können, wenn da nicht die einschlägigen Märchen wären. Ich persönlich bin überzeugt, daß das falsch ist. Eher ist es wohl so, daß Märchen oder auch Schauergeschichten niemals eine so weltweite Resonanz hätten und weltweit erzählt würden, wenn sie nicht von Dingen handelten, die in jedem Menschen – Kind oder Erwachsener – angelegt sind. Das Märchen umkreist etwas, das wahr, erschreckend und unannehmbar ist. Ja, alles dies: wahr, erschreckend und unannehmbar. Der eine oder andere unannehmbare Aspekt der menschlichen Natur verdichtet sich zum akzeptierten Mythos. In unserem Zusammenhang lautet die Frage: Was ist es eigentlich, was sich da zum Mythos von der Stiefmutter verdichtet? Was immer es ist, es hat mit Haß, mit Furcht und auch mit Liebe zu tun.

Jeder Mensch hat große Schwierigkeiten damit, die Aggressivität, die nun einmal Bestandteil unserer Natur ist, zu fassen zu bekommen und mit Liebe zu verbinden. In der frühesten Kindheit wird diese Schwierigkeit in gewissem Umfang dadurch bewältigt, daß das Kind die Welt zunächst in Extremen erfährt – als freundlich und feindlich, gut und böse, schwarz und weiß; das Böse wird gefürchtet und gehaßt, das Gute wird rundum akzeptiert. Diese extreme Sicht wird mit der Zeit aufgegeben; das Kind erreicht ein Stadium, in dem es das gleichzeitige Vorhandensein entgegengesetzter Impulse – Zerstörung und Liebe – ertragen kann. Es entwickelt ein Schuldgefühl, stellt aber auch fest, daß es Wiedergutmachung leisten kann. Die Mutter braucht nur zu warten; irgendwann kommt der Augenblick, in dem das Kind ihr ein aufrichtiges und spontanes Zeichen seiner Liebe gibt. Die Erleichterung, die das ganz kleine Kind aus der Vorstellung der guten und bösen Extreme bezieht, ist etwas, worauf auch der reife Erwachsene nicht völlig verzichten kann. Kindern, und insbesondere kleinen Kindern, gestehen wir bereitwillig ein gewisses Fortbestehen dieses Relikts aus frühen Tagen zu, und wir wissen, daß wir sogleich auf Resonanz treffen, wenn wir ihnen Geschichten vorlesen oder erzählen, in denen von den Extremen von Gut und Böse die Rede ist.

Gewöhnlich verbinden sich in der Imagination die Vorstellungen von der wirklichen Mutter und der Stiefmutter mit diesen Extremen, und dies vor allem wegen einer zweiten Sache, über die ich sprechen möchte – weil nämlich ein Kind seine Mutter aus allen möglichen Gründen hassen kann. Nun ist die Vorstellung, daß man seine Mutter hassen könnte, für jeden von uns eine heikle Sache, und manchen meiner Zuhörer wird es nicht gefallen, daß die beiden Worte Haß und Mutter sozusagen in einem Atemzug genannt werden. Aber es hilft nichts: Mütter sind nun einmal, wenn sie ihre Aufgabe gewissenhaft erfüllen, die Repräsentantinnen der unbarmherzigen, fordernden Welt, und sie, die Mütter, sind es auch, die das Kind allmählich mit der Realität bekannt machen, die so oft der Feind der Impulsivität ist.

Da ist Zorn auf die Mutter spürbar, ja gelegentlich auch Haß, selbst wenn nicht der geringste Zweifel daran besteht, daß das Kind seine Mutter liebt und diese Liebe sogar ein Element der Idealisierung enthält. Und wenn es zwei Mütter gibt – eine leibliche, die gestorben ist, und eine Stiefmutter –, verstehen Sie, wie einfach es dann für ein Kind ist, sich Erleichterung zu verschaffen, indem die eine die vollkommene und die andere die schreckliche Mutter ist? Und was für das Kind gilt, das gilt fast in gleicher Weise auch für die Erwartungen der Außenwelt.

Überdies erkennt oder spürt das Kind irgendwann, daß die hingebungsvolle Fürsorge der Mutter ganz zu Beginn seines Lebens die Grundvoraussetzung dafür bildete, daß es den Schritt ins Leben wagen konnte, in die Existenz als Person mit eigenen Rechten, eigenen Impulsen und seiner eigenen Art zu leben. Mit anderen Worten, zu Beginn war absolute Abhängigkeit, und sobald das Kind dies zu begreifen beginnt, entwickelt sich so etwas wie Furcht vor einer frühzeitlichen Mutter, die über magische Kräfte verfügt, im Guten wie im Bösen. Wie schwer tun wir uns alle mit der Vorstellung, daß diese allmächtige frühzeitliche Instanz unsere eigene Mutter war, jemand, den wir inzwischen als einen zwar liebenswerten, aber keineswegs vollkommenen oder rundum verläßlichen Menschen kennengelernt haben. Wie unsicher und gefährlich war das alles!

Und es geht noch weiter: Für das Mädchen ist es eben diese Mutter, die zu Anfang allmächtig war, die gnadenlos die harten Tatsachen des Lebens repräsentierte und dabei doch die ganze Zeit über bewunderungswürdig war – die jetzt zwischen der Tochter und dem Vater steht. Besonders in dieser Hinsicht hat die leibliche Mutter einen ganz anderen Ausgangspunkt als die Stiefmutter: Die leibliche Mutter hofft, was die Stiefmutter fürchtet – daß die Tochter die Liebe ihres Vaters gewinnen wird. Ist das nicht genug, um eines deutlich zu machen: Wir dürfen nicht erwarten, daß Kinder sich von einem Augenblick zum anderen von der Tendenz freimachen können, die Welt im allgemeinen und ihre beiden Mütter im besonderen in Gut und Böse aufzuspalten, und wir müssen damit rechnen, daß diese kindlichen Vorstellungen in gewissem Umfang noch im erwachsenen Menschen fortleben.

Wir können es mit logischen Argumenten versuchen, wir können uns immer wieder sagen, daß es nicht darauf ankommt, ob ein Mensch schwarz oder weiß ist, sondern darauf, ob er ein liebender und liebenswerter Mensch ist. Aber wir stehen unter dem Einfluß unserer Träume, und wer wollte schon ohne seine Phantasien sein? In der Phantasie müssen wir nicht ständig erwachsen sein, wie wir es sein müssen, wenn wir den Zug erreichen wollen, um rechtzeitig ins Büro zu kommen, oder wenn wir einkaufen gehen. In der Phantasie gehen unsere infantilen, unsere kindlichen und unsere adoleszenten Anteile mit unserem reifen Erwachsenenleben zusammen. In dem Augenblick aber, in dem wir unversehens mit den dunklen Seiten dieser Mythen in Kontakt kommen, stellen wir fest, daß uns die Welt unserer Phantasie nicht so angenehm ist. Möglicherweise habe auch ich einen solchen dunklen Punkt berührt, indem ich über den Haß und die Furcht vor der Mutter gesprochen habe, die, wie ich meine, mit der Liebe verbunden werden müssen, wenn die Mutter-Kind-Beziehung in ihrer ganzen Fülle erfahren werden soll. Vielleicht halten Sie mich für einen Spinner.

## Die Mißerfolgs-Geschichte

Jede Beschäftigung mit menschlichen Angelegenheiten kann an der Oberfläche bleiben oder aber in die Tiefe gehen. Wenn wir an der Oberfläche bleiben, sparen wir uns eine Menge Unannehmlichkeiten, bringen uns zugleich aber um tiefere Einsichten. Einige Briefe, die mich nach der letzten Sendung erreichten, gingen in der Tat über das, was offen zutage liegt, hinaus. In einer dieser Zuschriften hieß es zum Beispiel, daß man gegenüber einem Kind, das Mutter oder Vater verloren hat, nicht so tun könne, als hätte es diesen Verlust nicht gegeben, und daß man sich als Stiefmutter oder Stiefvater lieber anders anreden lassen solle, so daß die Bezeichnung »Mama« bzw. »Papa« für die Person reserviert bleibt, die das Kind verloren hat. Damit bleibt auch die Vorstellung, daß es diesen Menschen verloren hat, lebendig, und die Haltung, die dies ermöglicht, kann für das Kind außerordentlich hilfreich sein. In einer anderen Zuschrift wurde darauf hingewiesen, daß das angenommene Kind möglicherweise gestört war. In diesem speziellen Fall hatte das ungeliebte Kind, ein Junge, eine Zeitlang bei seiner Großmutter gelebt, bevor er zu der Stiefmutter kam. Er

25

hatte also schon zwei Bezugspersonen verloren und konnte daher kaum noch an die Möglichkeit verläßlicher menschlicher Beziehungen glauben. Ein solches Kind, das keine Hoffnung mehr hat, kann es nicht wagen, eine neue Bindung einzugehen, und sucht sich daher vor starken Gefühlen und neuen Formen der Abhängigkeit zu schützen.

Ist Ihnen bekannt, daß viele Mütter ihr Kind jedenfalls im Augenblick seiner Geburt *nicht* lieben? Sie kommen sich entsetzlich vor, gerade so wie die eben zitierte Stiefmutter. Sie geben vor, das Kind zu lieben, aber sie können es nicht. Wieviel einfacher wäre alles, wenn man ihnen gesagt hätte, daß Liebe etwas ist, das sich entwickeln kann, das sich aber nicht auf Knopfdruck einstellt. In der Regel empfindet eine Mutter schon bald Liebe für ihr Kind, schon während der Schwangerschaft, aber das ist etwas, was in ihre persönliche Erfahrung gehört, nichts, was man konventionellerweise erwarten könnte. Väter haben manchmal dasselbe Problem. Bei ihnen wird es vielleicht eher akzeptiert; sie haben es also nicht so nötig zu heucheln, und ihre Liebe kann sich natürlich, nach ihrem eigenen Rhythmus, entwickeln. Es kommt übrigens nicht ganz selten vor, daß eine Mutter ihr Kind nicht nur nicht liebt, sondern geradezu haßt. Ich spreche hier von ganz normalen Frauen, die sich durchaus zu helfen wissen und dann eben dafür sorgen, daß jemand anders ihre Aufgaben – und zwar zufriedenstellend – erfüllt. Ich weiß von vielen solchen Frauen, die große Angst hatten, sie könnten ihrem eigenen Kind etwas antun. Sie können über diese Ängste nicht sprechen, weil sie nicht auf Verständnis rechnen können. Die menschliche Natur ist in der Tat unergründlich, aber ich wäre jedenfalls lieber das Kind einer Mutter, die alle inneren Konflikte durchmacht, die nun einmal zum Wesen der menschlichen Natur gehören, als einer Mutter, für die alles glatt und einfach ist, die auf alles eine Antwort weiß und niemals von Zweifeln geplagt wird.

Die meisten, die berichteten, daß sie gut zurechtkämen, erlebten durchaus hin und wieder auch einen Mißerfolg, und ein Mißerfolg zum richtigen Zeitpunkt kann von größtem Nutzen sein. Etwas anderes ist es, wenn jemand immerzu stöhnt und klagt, aber das trifft auf die oben erwähnte Stiefmutter, der es so zu schaffen machte, daß sie ihren Stiefsohn nicht lieben konnte, ja nun mit Sicherheit nicht zu. Wann immer eine Frau oder ein Mann ein Stiefkind übernehmen, so steht dahinter immer eine ganze Geschichte, und auf diese Geschichte kommt es an. Es ist ja nicht nur das, daß man sich schuldig fühlen könnte, weil man sozusagen ein Kind gestohlen hat – nein, da steckt noch viel mehr dahinter: man hat einen verwitweten Menschen gewählt oder eine unglücklich verheiratete Frau/einen unglücklich verheirateten Mann »gerettet«. Es gibt also eine Fülle bedeutsamer Aspekte, die sich nicht ignorieren lassen und die ihrerseits von Einfluß auf die Träume und Erwartungen der Stiefmutter bzw. des Stiefvaters in bezug auf die neue Beziehung sind.

Im Einzelfall kann man diesen Dingen nachgehen, und zwar durchaus mit Erfolg; um ganz allgemein darüber zu sprechen, dafür ist das Thema aber viel zu umfangreich. Eine Frau, die sich neuerdings ein Kind bemuttern sieht, das von einer anderen Frau geboren wurde – einer Frau, die, selbst wenn sie tot ist, in der Phantasie ihre Rivalin ist –, wird sich durch ihre eigene Phantasie eher in die Rolle der Hexe als in diejenige der guten Fee gedrängt sehen. Vielleicht hat sie tatsächlich keine Schwierigkeiten; vielleicht tritt sie aber auch, wie einige der Briefschreiberinnen, lieber hinter ihrer Vorgängerin sozusagen ins zweite Glied zurück. Aber viele Menschen – Männer wie Frauen – ringen zum Zeitpunkt ihrer Heirat und selbst danach immer noch mit der Aufgabe des Erwachsenwerdens und müssen um ihre eigenen Rechte kämpfen; andernfalls verlieren sie ihre Identität und überhaupt das Gefühl, wirklich zu sein. Eine Frau wird sich durch die Präsenz des Kindes »der anderen« nur allzuleicht an die Mutter dieses Kindes erinnert fühlen, und zwar in unerträglicher Weise. Wenn die Dinge so liegen, die Frau sich der Zusammenhänge aber nicht bewußt ist, dann kann das ganze Bild verzerrt werden, und Gefühle wie Toleranz und schließlich Liebe können sich nicht natürlich entwikkeln.

Die Sendezeit geht zu Ende, und ich kann nur noch kurz darauf zu sprechen kommen, daß manche Stiefkinder tatsächlich schrecklich sind, und zwar weil sie schlimme Erfahrungen gemacht haben. Das kann man erklären und entschuldigen; die Stiefmutter allerdings muß ein solches Kind ertragen. Sie hat keine andere Wahl. Glücklicherweise kann man, wie die Briefe zeigen, zu den meisten Stiefkindern am Ende ein freundliches Verhältnis herstellen, und in sehr vielen Fällen sind die Stiefkinder tatsächlich »wie die eigenen«. Oft gibt es überhaupt keine Schwierigkeiten, oder die Schwierigkeiten halten sich im Rahmen und stellen jedenfalls keine Bedrohung dar. Vielen Leuten kommt das Gefühl für die Kompliziertheit der Stiefsituation allmählich abhanden, und sie finden das alles ganz einfach. Solchen Leuten, die keine Schwierigkeiten haben, mag es lästig, ja sogar gefährlich erscheinen, daß ich auf diese Weise in die Welt der Phantasie eindringe. Es bedroht sie in ihrer Sicherheit. Aber wenn sie die Sorgen, ja die Alpträume, die Ängste und Depressionen aus den Augen verlieren, die sie durchgemacht haben, dann geht ihnen auch der Blick für alles verloren, was ihren Bemühungen einen Sinn gibt.

Ein Seitenblick auf unsere Mißerfolge kann für unser Leben durchaus eine Bereicherung sein. Überdies zeigen uns solche Geschichten, daß es sinnvoll ist, glücklose Leute dazu zu bewegen, daß sie sich zusammensetzen. Wenn sie das tun, können sie miteinander reden, können einer an der Last des anderen teilnehmen und sich diese Last hin und wieder erleichtern. In einer der Zuschriften wurde ein solches Treffen angeregt. Ich denke, daß dabei durchaus etwas herauskommen könnte. Es wären nämlich ganz normale Männer und Frauen, die daran teilnähmen.

(1955)

# 3
# Was wissen wir über das Daumen-lutschen und Kissensaugen?

Man kann eine Menge Dinge in Erfahrung bringen, wenn man beobachtet, was Babys, wenn sie wach sind. Zunächst müssen wir uns allerdings von dem Gedanken freimachen, daß es in diesem Zusammenhang überhaupt so etwas wie »richtig« und »falsch« gäbe; unser Interesse erwächst allein aus dem Umstand, daß wir *von* Babys etwas *über* Babys erfahren können. Schon letzte Woche wurde im Rahmen dieser Sendung die Ansicht vertreten, daß es nicht um Billigung oder Mißbilligung gehen kann, wenn ein Kind am Daumen lutscht oder an einem Zipfel der Bettdecke saugt, sondern daß uns dieses Saugen Gelegenheit gibt, etwas über dieses ganz bestimmte Kind zu erfahren. Ich teile die Meinung des Sprechers und der Mütter, aus deren Briefen er zitierte.

Wir befassen uns mit einer Fülle von Phänomenen, die das Leben des Kleinstkindes kennzeichnen. Wir werden niemals alles über diese Phänomene in Erfahrung bringen, denn es erscheinen ja immer neue Kinder, und keine zwei gleichen einander bis ins letzte Detail – weder im Gesicht noch in ihren Gewohnheiten. Wir erkennen ein Baby nicht nur an der Linie seiner Nase oder der Farbe seiner Haare, wenn es denn welche hat, sondern auch an seinen ganz persönlichen Eigenheiten.

Wenn Mütter mir etwas über Kinder erzählen wollen, frage ich sie in der Regel nach Ereignissen, die typisch für die allererste Lebenszeit waren. Es macht ihnen Freude, sich diese Geschehnisse ins Gedächtnis zu rufen, die ihnen die Vergangenheit so lebhaft wieder vor Augen rücken.

Sie erzählen mir von allen möglichen Gegenständen, die das Kind damals an sich genommen hat und die ihm wichtig waren, an denen es saugte oder die es umklammerte, die ihm über Augenblicke der Einsamkeit und Unsicherheit hinweghalfen, ihm Seelenfrieden gaben oder als Beruhigungsmittel wirkten. Solche Gegenstände sind zugleich Teil des Kindes und Teil der Welt. Sie können mit der Zeit auch eine Bezeichnung auf sich ziehen, die etwas von dieser doppelten Herkunft verrät. Wichtig an diesen Dingen ist vor allem, wie sie riechen und wie sie sich anfühlen; man wird sich also hüten, sie etwa zu waschen. Man wird ein solches Stück auch nicht zu Hause lassen, wenn man mit dem Kind ausgeht, und man wird es nicht zerstören, nicht verlieren und nicht weggeben, sondern es listig irgendwann verschwinden lassen, so wie der alte Soldat in dem englischen Kinderlied ja auch niemals stirbt, sondern irgendwie verschwindet.

Das Wichtigste ist, daß man das Kind nicht mit der Frage bedrängt, ob dieses Ding denn nun etwas ist, das es sich erdacht hat, oder ob es ein Bestandteil der Außenwelt ist, den es gefunden und an sich genommen hat. Etwas später wird man seinem Kind beibringen, »danke« zu sagen und damit zu bestätigen, daß der wollige Spielzeughund da ein Geschenk seiner Tante ist. Aber dieses *erste* Objekt wird zum Inventar der Wiege oder des Kinderwagens erklärt, lange bevor das Wort »danke« ausgesprochen werden oder für das Kind irgend etwas bedeuten kann, also noch bevor es deutlich zwischen Ich und Nicht-Ich unterscheidet bzw. noch während es an dieser Unterscheidung arbeitet.

Eine Persönlichkeit bildet sich, und ein Leben wird gelebt, wie es niemals zuvor gelebt worden ist, und an dieser neuen Person, die dieses neue Leben lebt, sind Mutter und Vater vom Augenblick der ersten Kindsbewegungen an interessiert. Leben bedeutet von Anfang an persönliches Leben, und ich bleibe bei diesem Gedanken, obwohl ich ja weiß, daß auch Welpen und junge Kätzchen spielen und an Textilien saugen – weshalb ich im übrigen behaupte, daß auch Tiere mehr sind als ein Bündel aus Reflexen und Gierigkeit.

Wenn Leben anfangs auch in sehr eingeschränkter Form existiert, so hat doch das persönliche Leben mit Sicherheit bereits begonnen, wenn das Kind geboren wird. Die eigenartigen Gewohnheiten von Kleinstkindern sagen uns, daß es in ihrem Leben mehr gibt als nur Schlaf und Fütterung, mehr als nur Triebbefriedigung, nachdem sie gut gefüttert worden sind und die Nahrung auch bei sich behalten haben. Diese Gewohnheiten verweisen darauf, daß das Kind bereits »da« ist, daß es tatsächlich ein Leben – sein Leben – lebt, Erinnerungen aufbaut und ein persönliches Verhaltensmuster ausbildet.

Um mehr zu verstehen, müssen wir wohl in Betracht ziehen, daß von Anfang an eine frühe Form dessen vorhanden ist, was wir später als Imagination bezeichnen. Das heißt, wir können sagen, daß das Kind mit den Händen, mit der sensiblen Haut seines Gesichts und mit dem Mund aufnimmt. Die *imaginative* Erfahrung des Nahrungaufnehmens ist viel weitreichender als die rein physische Erfahrung. Zu dem Erlebnis in seiner *Gesamtheit* kann sehr bald auch die wichtige Beziehung zur mütterlichen Brust oder zur Mutter als einem allmählich wahrgenommenen Objekt gehören, und was das Kind mit seinen Händen und Augen tut, dehnt den Akt der Nahrungsaufnahme noch weiter aus. Dies – das Normale – wird noch offenkundiger, wenn wir uns ansehen, wie es ist, wenn ein Kind mechanisch abgefüttert wird. Diese Art der Nahrungsaufnahme, alles andere als ein bereicherndes Erlebnis für das kleine Kind, unterbricht dessen Gefühl einer kontinuierlichen Seinserfahrung. Ich weiß nicht recht, wie ich es anders ausdrücken könnte. Hier hat ein reflexhaftes Tun stattgefunden, keine persönliche Erfahrung.

Wenn Sie ein kleines Kind im Gesicht kitzeln, können Sie ein Lächeln auslösen, und doch ist das Kind vielleicht alles andere als erfreut. Der Reflex hat seinen Besitzer betrogen. Es ist beinahe so, daß er seinerseits das Kind beherrscht. Es ist nicht unsere Aufgabe, die Macht, die wir zweifellos haben, in der Weise auszuüben, daß wir Reflexe hervorrufen und Triebbefriedigungen stimulieren, die nicht dem natürlichen Rhythmus des kindlichen Seins entspringen. Vielerlei, was das Kind tut, während es trinkt, erscheinen uns sinnlos, weil es davon kein Gramm zunimmt. Ich bin der Meinung, daß es eben diese Vorgänge sind, die uns die Gewißheit geben, daß das Kind nicht nur *gefüttert* wird, sondern aktiv Nahrung aufnimmt, daß es ein Leben lebt und nicht bloß auf die Reize reagiert, die wir ihm anbieten.

Haben Sie jemals ein kleines Kind am Finger lutschen sehen, während es zugleich genüßlich an der Brust der Mutter saugte? Ich habe genau dies beobachtet. Haben Sie jemals gesehen, daß ein Traum sich auf die Beine machte? Wenn ein kleines Kind an einem Stück Stoff, an der Bettdecke oder am Schnuller saugt, dann ist das ein Überschießen der Imagination – Imagination, stimuliert durch die wichtige und aufregende Funktion der Nahrungsaufnahme.

Ich will es noch einmal auf andere Weise sagen. Haben Sie jemals darüber nachgedacht, daß das Herumtasten, das Daumenlutschen, das Saugen an einem Stück Stoff, das Umklammern der Stoffpuppe erste Äußerungen von Zärtlichkeit sind? Kann es überhaupt etwas Wichtigeres geben?

Vielleicht halten Sie es für selbstverständlich, daß Ihr Kind zärtlich sein kann, aber Sie sehen es bald anders, wenn Sie ein Kind haben, das Zärtlichkeit nicht äußern kann oder dem diese Fähigkeit abhanden gekommen ist. Es mag möglich sein, ein Kind, das offensichtlich nicht essen will, zum Essen zu bringen, aber es gibt nichts, was Sie tun könnten, um ein Kind, das nicht zärtlich sein kann, zu zärtlichem Verhalten zu bewegen. Sie können es mit Zärtlichkeit überschütten – es wird sich, schweigend oder unter Protestgeschrei, abwenden.

Diese merkwürdigen, sozusagen nicht zur Sache gehörigen Verhaltensweisen, über die wir hier sprechen, sind ein Zeichen dafür, daß das Kind als Person vorhanden ist und überdies in der Beziehung zu seiner Mutter Vertrauen gefaßt hat. Es ist imstande, Gegenstände zu benützen, die, so könnten wir sagen, ein Symbol der Mutter oder einer mütterlichen Eigenschaft darstellen, und es kann sich an Handlungen *erfreuen,* die nichts weiter sind als *Spiel* und die ein ganzes Stück entfernt sind vom *instinktiven* Akt, von der *Nahrungsaufnahme.*

Schauen wir uns an, was geschieht, wenn das kleine Kind sein Vertrauen verliert. Schon eine geringfügige Entbehrung kann zur Folge haben, daß von nun an ein zwanghaftes Element in sein Saugen – oder was immer seine Gewohnheit ist – kommt. Damit wird diese bisher nebensächliche Gewohnheit zu einem eher zentralen Phänomen. Wenn die Deprivation aber gravierender ist oder länger anhält, dann verliert das Kind die Fähigkeit, an dem Stück Stoff zu saugen, mit seinem Mund zu spielen oder sich an der Nase zu kitzeln; dann verlieren diese spielerischen Gewohnheiten ihren Sinn.

Diese ersten Spielobjekte und spielerischen Aktivitäten existieren in einem Übergangsbereich zwischen dem Kind und der Außenwelt. Es kostet das Kind eine gewaltige Anstrengung, irgendwann zwischen dem Ich und dem Nicht-Ich zu unterscheiden, und wir lassen ihm Zeit, damit diese Fähigkeit sich natürlich entwickeln kann. Wir beobachten, wie das Kind allmählich ein Verständnis der Dinge entwickelt, wie es allmählich begreift, daß es eine äußere und eine innere Welt gibt, und um ihm zu Hilfe zu kommen, lassen wir ihm diesen Übergangsraum, einen Bereich, der zugleich persönlich und äußerlich, zugleich Ich und Nicht-Ich ist. Sie gleicht dem intensiven Spiel des jungen Kindes und den Tagträumereien älterer Kinder und Erwachsener, die weder Traum noch tatsächliche Gegebenheit und dennoch beides sind.

Denken wir doch einmal darüber nach: Gibt es auch nur *einen* von uns, der das Bedürfnis nach diesem intermediären Bereich – jener Welt, die zwischen uns und unserem Innenleben einerseits und der äußeren, der gemeinsamen Realität andererseits liegt – wirklich hinter sich gelassen hätte? Die Mühe, die das kleine Kind aufwendet, um die beiden auseinanderzuhalten, ist niemals ganz verloren; wir gestehen uns ein kulturelles Leben zu, etwas, an dem wir andere teilhaben lassen und das uns dennoch ganz persönlich zugehört. Ich meine damit natürlich solche Dinge wie Freundschaft und die Ausübung der Religion. Und selbstverständlich sind da auch noch die sinnlosen Dinge, die jeder von uns tut. Warum, zum Beispiel, rauche ich? Um eine Antwort zu bekommen, müßte ich mich an ein kleines Kind wenden, das mich nicht auslachen würde, da bin ich sicher, denn ein kleines Kind weiß besser als irgendwer sonst, wie töricht es ist, immer nur Sinnvolles zu tun.

Es klingt vielleicht merkwürdig, aber das Lutschen am Daumen oder an einer Stoffpuppe kann als wirklich empfunden werden, während eine ganz reale Mahlzeit ein Gefühl von Unwirklichkeit aufkommen lassen kann. Eine reale Mahlzeit löst Reflexe aus und ruft kraftvolle Instinkte auf den Plan, während das kleine Kind mit der Etablierung seines Selbst noch nicht so weit gekommen ist, daß es solche mächtigen Erfahrungen bereits integrieren könnte. Erinnert das nicht an das reiterlose Pferd, das den Großen Preis gewinnt? Dem Besitzer trägt dieser Sieg keinen Preis ein, denn der Jockey konnte sich ja nicht auf seinem Sitz halten. Der Besitzer ist in seinen Erwartungen enttäuscht, der Jockey ist unter Umständen verletzt. Wenn Sie sich von Anfang an in die persönlichen Bedürfnisse Ihres Kindes einfühlen, wenn Sie sich seinem Rhythmus wirklich anpassen, dann ermöglichen Sie es diesem neuen Teilnehmer am Rennen, sich auf dem Pferd zu halten, ja es sogar zu reiten und den Ritt als solchen zu genießen.

Selbstäußerung in der Form dieser merkwürdigen Saug- und Lutschgewohnheiten vermittelt dem sehr kleinen Kind mit seinem noch unfertigen Selbst ein Gefühl von Realität und ermöglicht eine Verbundenheit von Mutter und Kind, die nicht nur von den Instinkten abhängig ist.

(1956)

34

# 4
# Über das Nein-Sagen

D. W. WINNICOTT

Diese und die beiden nächsten Sendungen bilden eine zusammenhängende Folge, in der es um das Thema »Nein-Sagen« geht. Heute abend hören Sie zunächst eine Diskussion unter Müttern, zu der ich anschließend einen kurzen Kommentar abgeben werde. In der nächsten und übernächsten Woche werde vor allem *ich* zu Ihnen sprechen; zu Ihrer Erinnerung werden aber immer wieder Ausschnitte aus der Diskussion der Mütter eingeblendet.

Ich denke, daß die nun folgende Diskussion, die etwa acht Minuten dauert, Ihnen gefallen wird. Ich empfinde sie als ganz realistisch, und Sie können sicher sein, daß sie nicht gestellt ist. Es ist genau die Art und Weise, in der auch Sie über dieses Thema diskutieren würden.

## DIE MÜTTER

»Es ist sehr schwer, den goldenen Mittelweg zu finden. Soll man den Kindern ständig sagen: ›Tu dies nicht, tu das nicht‹, oder soll man ihnen lieber alles durchgehen lassen? Aber andererseits kann man es ja nicht zulassen, daß sie die ganze Wohnung ruinieren.«

»Wir haben seit einem Jahr eine neue Wohnung und mußten alles neu anschaffen. Und das mit dem kleinen Kind! Aber ich habe mir gesagt, sie soll in dieser Wohnung ihre Freiheit haben. Und sie ist auch wirklich ein zufriedenes Kind.«

»Ja, aber wie alt ist sie – zwanzig Monate?«

»Einundzwanzig Monate – und ein sehr aktives Kind.«

(Stimmengewirr)

»Drei Jahre! Das ist allerdings etwas anderes als zwanzig Monate.« (Stimmengewirr)

»Trotzdem – ich habe mir vorgenommen, es weiter so zu machen.«

»Und hat Ihre Tochter die gleichen Freiheiten, wenn sie bei anderen Leuten zu Besuch ist?«

»Im Augenblick ja; sie ist nämlich wahnsinnig neugierig, was ja normal ist in diesem Alter.«

»Ob Kinder sich anständig benehmen, wenn sie bei anderen Leuten sind, das hängt meiner Meinung nach sehr stark davon ab, wieviel Freiheit sie zu Hause haben. Wenn sie zu Hause alles dürfen, dann sind sie nicht...«

»Nicht so neugierig.«

»Dann ist ihnen das woanders gar nicht so interessant. Natürlich, wenn Sie vom Einkaufen nach Hause kommen und dumm genug sind, die Tüte mit dem Reis nicht gleich wegzuräumen, dann verstreut das Kind ihn eben über den ganzen Fußboden. (Gelächter) Das heißt aber nicht, daß das Kind ungezogen ist, sondern es ist einfach so, daß *Sie* sich blöd benommen haben! Ich meine, wenn mein Kind so etwas macht, dann sage ich mir doch, daß es das Beste ist, wenn wir schleunigst wieder auf den Spielplatz gehen – im Sandkasten kann sie herumstreuen, soviel sie will.« (Stimmengewirr)

»Wird der Sandkasten nicht irgendwann langweilig, während so eine Tüte voll Reis ganz einfach mehr reizt?«

»Natürlich reizt das mehr, aber wissen Sie, ich denke auch...Ja, zum Beispiel Pfützen! Das habe ich von jemand anderem gelernt. Im ersten Jahr hatte ich nämlich eine Frau, die auf das Kind aufpaßte, nicht die ganze Zeit über, aber doch während ich unterrichtete (bevor das zweite Kind kam, habe ich wieder in meinem Beruf gearbeitet). Diese Frau hat sie sogar mit ihren guten Schuhen in Pfützen treten lassen!. Manchmal hat sie aber auch gesagt: ›Also, heute darfst du nicht in die Pfützen treten, weil wir ja das und das vorhaben und ich dich nicht mehr umziehen kann.‹ Und dann ist das Kind auch wirklich nicht in Pfützen getreten. Für mich war das eine sehr gute Lektion. Ich meine, wenn man einem Kind so etwas erlaubt, solange es für einen selbst nicht allzu lästig ist, dann wird es auch mal verzichten, wenn man ihm begreiflich macht, daß es diesmal gute Gründe gibt, es nicht zu tun.« (Stimmengewirr)

»Das kommt doch nicht an, oder?« (Stimmengewirr)

»Es hat keinen Zweck, es mit Gewalt erreichen zu wollen. Man muß sie vorbereiten.«

»Man kann doch auch ein Spiel aus der Erklärung machen. Oder man sagt: ›Komm, jetzt machen wir mal dies oder jenes‹, und lenkt sie damit unauffällig ab von dem, was sie sonst vielleicht angestellt hätten. Man schlägt einfach etwas anderes vor.« (Stimmengewirr) »Also ich ... halte mehr von rationalen Erklärungen. Was ich meine, das ist diese Art, aus allem, was ein Kind gerade tut, ein Spiel zu machen und ihm ein anderes Spiel vorzuschlagen.«

»Ablenkung?«

»Ablenkung, ja.«

»Ich glaube, es kommt darauf an, daß man nicht bei allzuvielen Dingen Nein sagt. Als unser erstes Kind noch ganz klein war, gab es bei uns zwei Dinge, bei denen wir Nein sagten. Wir hatten Topfpflanzen im Wohnzimmer und wollten natürlich nicht, daß an ihnen herumgerissen wurde, und außerdem hingen und lagen bei uns schrecklich viele Kabel. Bei diesen Dingen sagten wir Nein; ansonsten – na ja, was sie hätte kaputtmachen können, das haben wir natürlich aus dem Weg geräumt.«
»Das ist das Klügste.« (Stimmengewirr)

»In diesen Fällen hieß es immer «nein», und ansonsten gab es damals kein weiteres Nein. Und wenn dann später gelegentlich ein neues Nein dazukam – auch wenn sie es noch nicht verstehen konnte –, hat sie nicht protestiert.«

»Ich habe es mit meinen Kindern genau so gemacht – mit dem gleichen Erfolg.«

»Es gibt ja Situationen, da kann man nicht anders, als «nein» sagen. Wenn das Kind erst 21 Monate alt ist, dann kann man die Dinge natürlich noch aus seiner Reichweite entfernen – es kann ja in der Regel noch nicht klettern. Aber Steckdosen zum Beispiel, die kann man nicht aus dem Weg räumen.«

»Sie müssen Ihre Steckdosen mit einem Kinderschutz versehen; so etwas gibt es.«

»Ich glaube, man muß sich ganz einfach vornehmen, daß es in diesem Fall «nein» heißt, und sich strikt daran halten. Und im übrigen tut ihnen ein Klaps auf den Hintern sehr viel besser als ein elektrischer Schlag oder sonst ein Schock.«

»Schließlich kann man es sich ja auch gar nicht leisten, alle Steckdosen verlegen zu lassen.« (Stimmengewirr)

»Ich glaube, es ist gar nicht so einfach, wie die Leute glauben, ein Kind dazu zu bringen, daß es sich bei ein paar Dingen konsequent an das Nein hält. Und ein besonders wichtiges und interessantes Nein fasziniert vielleicht gerade deshalb, weil es das einzige Nein ist. Zum Beispiel Streichhölzer – sie müssen ja glauben, daß Streichhölzer die interessanteste Sache im ganzen Haus sind, wenn es so energisch «nein» heißt. Ich glaube fast, man sollte sie mal mit Streichhölzern spielen lassen.«

»Hat jemand schon mal versucht, einem Kind zu zeigen, wie man ein Streichholz zugleich von sich weghält und anzündet?«

»... aber das fasziniert doch um so mehr.«

»Ich weiß nicht – ich halte es doch für sehr gut, einem Kind zu zeigen, was passiert, wenn es mit Streichhölzern spielt.«

»Und wenn es sich nun wirklich die Finger verbrennt?«

»Na ja, das ist vielleicht ein bißchen hart, aber es könnte ja nahe genug herankommen, um festzustellen: ›Aha, das ist heiß und könnte mir wehtun.‹ Was Hitze ist, kann es ja an anderen Dingen lernen.«

»Da hatte ich Glück: Meiner hat mal den heißen Handtuchhalter angefaßt, und das tat weh, und ich sagte nur: ›Heiß‹.«

»Mein Zweiter – also, der macht oft irgend etwas, womit er sich wehtut, und er kapiert auch, warum es wehtut – jedenfalls glaube ich, daß er es kapiert. Aber am nächsten Tag geht er hin und macht genau denselben Blödsinn wieder.«

»Ja, das ist natürlich eine Frage des Temperaments. Meine größere Tochter hat sich mal den Mund mit heißem Speck verbrannt, als sie ungefähr 18 Monate alt war. Ich sagte nur: ›Heiß!‹, und von da an hat sie sich, glaube ich, nie wieder verbrannt, weil sie jetzt weiß, was ›heiß‹ bedeutet – sie kann sich etwas darunter vorstellen, und sie hat ganz schön Angst davor. Die zweite ist da ganz anders. Der passiert sowas immer wieder.«

»Es gibt auch Dinge, bei denen sie sich nicht wehtun und die sie trotzdem nicht tun dürfen. Zum Beispiel der Gasherd! Mein Sohn braucht nur die Zündung zu betätigen: Das Gas kommt, und es tut ihm nicht weh. Und dabei kann doch wer weiß was passieren, wenn da zufällig etwas steht!! Er weiß, daß er es nicht darf – aber er macht es trotzdem und schüttelt dazu noch den Kopf!« (Gelächter)

»Meinen Sie nicht, daß in so einem Augenblick ein Klaps fällig wäre?«

»Das ist aber genau die Situation, wo Sie schon viel früher achtgeben müssen, und sobald er sich in Richtung Herd bewegt, muß er halt eins draufkriegen.« (Stimmengewirr)

»Die Mutter hat dafür zu sorgen, daß das Kind sich nicht in der Küche aufhält – basta! Ich meine, das ist doch nun wirklich unsere Aufgabe.«

»Natürlich, aber man hat zu waschen, man muß kochen ...« (Stimmengewirr)

»Ein Kind bleibt nun mal nicht ewig in seinem Laufstall.«

»Nein, natürlich nicht. Aber ich meine doch, daß es möglich sein müßte, mit allen diesen Dingen fertigzuwerden. Sie können das Kind ablenken. Wenn es an den Herd will, dann geben Sie ihm doch etwas in die Hand, das genauso interessant ist, aber nicht so gefährlich. Und einem älteren Kind müssen Sie eben immer wieder sagen, daß die Topfgriffe und Pfannenstiele so weggedreht werden müssen, daß das kleine Kind nichts herunterreißen kann.«

»Bei uns ist das sehr günstig. Unser Eßzimmer hat eine Verbindungstür zur Küche und ist zugleich eine Art Spielzimmer für die Kinder, und ich sehe auch darauf, daß sie dort bleiben. Die Tür lasse ich allerdings offen, und solange sie wissen, daß ich nebenan bin und daß sie mich jederzeit sehen können, bleiben sie tatsächlich, wo sie sind.«

»Und ab wann hat das funktioniert?«

»O, von klein an, sobald sie aus dem Laufstall heraus waren, mit einem Jahr oder so. Sie brauchen nur an die Tür zu

40

kommen, dann sehen sie mich, und dann gehen sie wieder zurück zu ihren Spielsachen.«

»Ist es eigentlich dieses ständige Aufpassen, Ablenken, Ermahnen und so weiter, was so ermüdend ist?«

»Ja«. (Stimmengewirr)
  »Es ist nicht nur ermüdend; es kostet auch Zeit. Und dabei versucht man ja sowieso schon immer, mehrere Dinge auf einmal zu tun. Man muß das Essen vorbereiten, gleichzeitig steht ein Topf mit Windeln auf dem Herd, jemand klopft an die Haustür – und wenn man sich umdreht, stellt man fest, daß der Junior sich gerade am Gasherd oder an dem elektrischen Heizgerät zu schaffen macht, das man am Abend vorher vergessen hat wegzustellen. Solche Sachen passieren nun mal – man kann einfach nicht alles im voraus bedenken.«


## D. W. W.

Ich denke mir, daß diese Mütter ihren Meinungsaustausch bei einer Tasse Tee fortsetzten. Wir müssen sie an dieser Stelle verlassen.
  Wie schon angekündigt, werde ich heute nur einen kurzen und allgemeinen Kommentar zu dieser Diskussion abgeben. In der nächsten und der übernächsten Woche möchte ich dann einige der angesprochenen Punkte noch einmal aufnehmen und vertiefen. Ich höre immer gerne zu, wenn Leute sich über ihr Spezialgebiet unterhalten – ob das nun Landwirte sind, die über Weizen, Roggen und Kartoffeln reden, oder Handwerker, die über ihr Gewerbe sprechen. Diese Frauen zum Beispiel sprechen über die Unterschiede zwischen einem zwei- und einem drei- oder mehrjährigen Kind. Sie wissen, welche gewaltigen Veränderungen sich von einem Lebensmonat zum anderen vollziehen. Ein zwölf Monate altes Kind versteht den Sinn nur ganz weniger Worte, während ein Kind von 24 Monaten schon

etwas mit verbalen Erklärungen anfangen kann und Kooperationswilligkeit erkennen läßt, wenn hinter diesen Erklärungen letzten Endes ein Nein steht. Aus der Diskussion, die wir soeben hörten, wird deutlich, daß es in bezug auf das Nein-Sagen mehrere Stadien gibt. Ich kann drei Stadien ausmachen: Im ersten Stadium liegt die Verantwortung allein bei Ihnen. Im zweiten Stadium machen Sie Ihr Kind allmählich mit dem Nein bekannt, weil Sie ganz richtig erkannt haben, daß seine Intelligenz erwacht und es dabei ist herauszufinden, was Sie ihm erlauben und was Sie ihm nicht erlauben. Dabei versuchen Sie es noch nicht mit moralischen Kategorien wie »richtig« und »falsch« bzw. »recht« und »unrecht«, sondern lassen Ihr Kind ganz einfach wissen, daß es Gefahren gibt, vor denen Sie es beschützen müssen. Wenn Sie »nein« sagen, dann im Gedanken an ganz reale Gefahren. Erinnern Sie sich daran, daß zwei der Mütter etwas von heißen Geräten sagten? Im entscheidenden Augenblick sprachen sie das Wort »heiß« aus und stellten damit einen Zusammenhang zwischen Gefahr und Schmerz her. Viele Gefahren sind allerdings gar nicht so vordergründig mit Schmerz assoziiert, und in diesen Fällen muß das Wort »nein« genügen, bis das dritte Stadium erreicht ist: In diesem Stadium sichern Sie sich die Kooperation Ihres Kindes, indem Sie ihm Erklärungen liefern. Dazu bedarf es der Sprache. »Nein«, weil der Gegenstand heiß ist. »Nein«, weil ich »nein« sage. »Nein«, weil ich diese Pflanze gern habe – und hier schwingt der Gedanke mit, daß Sie Ihr Kind, wenn es die Pflanze aus dem Topf reißt, ein paar Minuten lang nicht so schrecklich lieben werden.

Ich habe hier zwar von drei Stadien gesprochen, aber diese Stadien überschneiden sich. Im ersten Stadium übernehmen Sie die volle Verantwortung; wenn also irgend etwas Schlimmes passiert, nehmen Sie die Schuld auf sich. Dieses Stadium verliert seine Geltung nur sehr langsam. Im Grunde sehen Sie sich weiterhin in der Verantwortung, aber allmählich wird es etwas leichter für Sie, weil Ihr Kind immer mehr Dinge immer besser begreift. Wenn dieses erste Stadium dann irgendwann wirklich der Vergangenheit angehört, dann bedeutet dies, daß Ihr Kind die Führung durch seine nächsten Angehörigen nicht mehr nötig hat und zu einem eigenständigen Mitglied der menschlichen Gesellschaft geworden ist.

Im zweiten Stadium konfrontieren Sie Ihr Kind mit Ihrer Persönlichkeit und Ihrer Sicht der Welt. Dieses Stadium geht in der Regel in das dritte Stadium über, das Stadium der Erklärungen, wobei Ausmaß und Art dieses Übergangs von beiden Beteiligten – von Ihrem Kind und von Ihnen selbst – abhängen. Jedes Kind entwickelt sich ja auf seine eigene Weise, anders als alle übrigen. Darüber können wir in der nächsten Woche sprechen. Vielleicht sehen Sie aber schon jetzt, daß »Nein« nicht nur bedeutet, daß man »nein« sagt.

\* \* \*

In der letzten Woche haben Sie eine Diskussion unter Müttern angehört, bei der es um das Nein-Sagen ging und die ich anschließend kurz kommentierte. In dieser und der nächsten Woche möchte ich Ihnen sagen, was mir so alles einfiel, während ich dem Gespräch der Mütter folgte. Zunächst aber etwas Grundsätzliches im Zusammenhang mit dieser Diskussion: Ich erlebe bei meiner Arbeit immer wieder, mit welchen Schwierigkeiten Mütter zu kämpfen haben, denen das Leben nicht so freundlich gesonnen ist. Das mögen persönliche Schwierigkeiten sein, die zur Folge haben, daß sie kein erfülltes Leben führen können, selbst wenn sie eigentlich wissen, wie sie dahin gelangen könnten; oder sie haben einen Ehemann, der einfach nicht da ist, der seine Frau nicht in der richtigen Weise unterstützt, sich einmischt oder eifersüchtig ist. Dann gibt es natürlich auch Mütter, die gar keinen Mann haben und ihr Kind trotzdem irgendwie großziehen müssen. Und schließlich gibt es Mütter, die unter ungünstigen äußeren Bedingungen leiden – unter Armut, beengten Wohnverhältnissen, unfreundlichen Nachbarn. Und manche betreuen auch noch fremde Kinder.

Ich habe den Eindruck, daß die Mütter, die sich hier getroffen und darüber unterhalten haben, wie sie mit ihren Kindern umgehen, ganz normale, gesunde Frauen in freundlichen Lebensumständen sind, die die notwendige Sicherheit besitzen, um sich ganz auf die Betreuung und Erziehung ihrer Kinder einzulassen. Ich weiß, daß die meisten Mütter so sind wie die, deren Gespräch wir hier verfolgt haben; ich möchte aber doch noch einmal eigens darauf hinweisen, daß diese Mütter glücklich und zufrieden sind – zum einen deshalb, weil uns etwas entgeht, wenn wir Glück und Zufriedenheit als etwas Selbstverständliches betrachten, zum anderen, weil ich auch an all die Mütter denke, die jetzt vielleicht zuhören und in irgendeiner Weise gehemmt, unglücklich oder frustriert sind und das Gefühl haben, nicht zurechtzukommen. Denn gut zurechtkommen, das wollen wir doch alle.

Nach diesen Überlegungen erinnere ich Sie an die drei Stadien, die ich in der letzten Sendung für Sie herausgearbeitet habe. Im ersten dieser Stadien, so sagte ich, befinden Sie sich in einem Prozeß, in dem Sie für Ihr Kind rundum verantwortlich sind. Dann kommt das zweite Stadium, in dem Sie »nein« sagen können, und schließlich kommt – als drittes – das Stadium der verbalen Erklärungen.

Ich möchte zunächst etwas über das erste Stadium sagen, in dem Sie die volle Verantwortung haben. Einige Monate später werden Sie sagen können, daß Sie Ihr Kind niemals, nicht ein einziges Mal wirklich im Stich gelassen haben, obwohl Sie ihm in dieser Zeit selbstverständlich auch so etwas wie Enttäuschungen bereiten mußten, denn Sie konnten nicht alle seine Bedürfnisse erfüllen – das kann niemand, und Gott sei Dank müssen Sie das auch nicht. Es gibt kein »Nein« in diesem ersten Stadium, nicht wahr, und ich sagte Ihnen auch, daß dieses Stadium sich mit den nachfolgenden überschneidet; es hält an bis zu dem Zeitpunkt, in dem Ihr Kind erwachsen ist und Ihre Führung nicht mehr nötig hat. Gewiß tun Sie gelegentlich schreckliche Dinge, aber ich kann mir nicht vorstellen, daß Sie Ihr Kind jemals wirklich im Stich lassen werden – nicht, wenn Sie es verhindern können.

Im nächsten Stadium, das ich als Stadium Nummer zwei bezeichnet habe, taucht das Nein auf, wobei Sie Ihrem Kind dieses Nein auf alle mögliche Weise vermitteln können. Vielleicht sagen Sie nichts als »Brhhhhhh.« Oder Sie rümpfen die Nase bzw. runzeln die Stirn. Möglicherweise empfiehlt es sich aber auch, das Wort »Nein« tatsächlich auszusprechen – es sei denn, das Kind wäre taub. Die ganze Sache mit dem Nein wird Ihnen, wenn Sie mit Ihrem Leben zufrieden sind, nicht weiter schwerfallen; dieses Nein trägt dazu bei, bei Ihrem Kind eine Lebensweise zu etablieren, die sich mit Ihrer eigenen Lebensweise und mit der Außenwelt verträgt. Unglückliche Mütter übertreiben es oft mit der liebenden Fürsorge für ihr Kind, weil sie selbst nicht glücklich sind, und andererseits sagen sie manchmal bloß deshalb »nein«, weil sie gereizt sind – aber da ist nun mal nichts zu machen. Ja, und dann kommt das Stadium Nummer drei, das ich auch als das Stadium der Erklärungen bezeichne. Manche Leute empfinden es als eine große Erleichterung, wenn sie nun endlich reden können und, wenn es gut geht, mit ihrer Rede auch verstanden werden, aber ich kann nur immer wieder betonen, daß die eigentliche Grundlage zu einem früheren Zeitpunkt gelegt wird.

Ich möchte Ihnen jetzt jene Passage aus der Diskussion ins Gedächtnis rufen, in der eine Mutter davon sprach, daß sie immer nur *ein* Nein auf einmal einführt. Ich nehme an, daß sie selbst sich völlig darüber im klaren war, was sie erlauben und was sie nicht erlauben wollte. Wenn sie selbst unsicher gewesen wäre, dann wäre dem Kind etwas Wesentliches vorenthalten worden. Wir wollen uns die betreffende Stelle noch einmal anhören:

»Ich glaube, es kommt darauf an, daß man nicht bei allzuvielen Dingen «nein» sagt. Als unser erstes Kind noch ganz klein war, gab es bei uns zwei Dinge, bei denen wir «nein» sagten: Wir hatten Topfpflanzen im Wohnzimmer und wollten natürlich nicht, daß an ihnen herumgerissen wurde, und außerdem hingen und lagen bei uns schrecklich viele Kabel. Bei diesen Dingen sagten wir «nein»; ansonsten – na ja, was sie hätte kaputtmachen können, das haben wir natürlich aus dem Weg geräumt.«

»Das ist das Klügste.« (Stimmengewirr)

»In diesen Fällen hieß es immer «nein», und ansonsten gab es damals kein weiteres Nein. Und wenn dann später gelegentlich ein neues Nein dazukam – auch wenn sie es noch nicht verstehen konnte –, hat sie nicht protestiert.«

»Ich habe es mit meinen Kindern genau so gemacht – mit dem gleichen Erfolg.«

### D. W. W.

Hier hören wir also von einer Mutter, die ein tätiges Verständnis dafür zeigt, daß ihr Kind auf einem Gebiet, das zwangsläufig immer komplizierter werden wird, einen möglichst unkomplizierten Start haben sollte: Anfangs waren es genau zwei spezifische Situationen, in denen dieses Kind das Wort »Nein« hörte. Später wurden es natürlich mehr, aber auch dann gab es keinen Ärger.

Und jetzt wollen wir uns noch einmal daran erinnern, daß gelegentlich ein einzelnes Wort genügen muß, weil lange verbale Erklärungen noch nicht möglich sind. Das Wort »heiß« aus der nun folgenden Passage bringt uns genau zwischen die Stadien zwei und drei.

### Die Mütter

»Und wenn es sich nun wirklich die Finger verbrennt?«

»Na ja, das ist vielleicht ein bißchen hart, aber es könnte ja nahe genug herankommen, um festzustellen: ›Aha, das ist heiß und könnte mir wehtun.‹ Was Hitze ist, kann es ja an anderen Dingen lernen.«

»Da hatte ich Glück: Meiner hat mal den heißen Handtuchhalter angefaßt, und das tat weh, und ich sagte nur: ›Heiß‹.«

»Mein Zweiter – also, der macht oft irgend etwas, womit er sich wehtut, und er kapiert auch, warum es wehtut – jedenfalls *glaube* ich, daß er es kapiert. Aber am nächsten Tag geht er hin und macht genau denselben Blödsinn wieder.«

»Ja, das ist natürlich eine Frage des Temperaments. Meine größere Tochter hat sich mal den Mund mit heißem Speck verbrannt, als sie ungefähr 18 Monate alt war. Ich sagte nur: ›Heiß!‹, und von da an hat sie sich, glaube ich, nie wieder verbrannt, weil sie jetzt weiß, was ›heiß‹ bedeutet – sie kann sich etwas darunter vorstellen, und sie hat ganz schön Angst davor. Die zweite ist da ganz anders. Der passiert sowas immer wieder.«

»Es gibt auch Dinge, bei denen sie sich nicht wehtun und die sie trotzdem nicht tun dürfen. Zum Beispiel der Gasherd! Mein Sohn braucht nur die Zündung zu betätigen: Das Gas kommt, und es tut ihm nicht weh. Und dabei kann doch wer weiß was passieren, wenn da zufällig etwas steht!! Er weiß, daß er es nicht darf – aber er macht es trotzdem und schüttelt dazu noch den Kopf.« (Gelächter)

»Meinen Sie nicht, daß in so einem Augenblick ein Klaps fällig wäre?«

D. W. W.

Ja, der wäre vielleicht fällig. Sie können aus diesem Gespräch ersehen, daß das eigentlich Wichtige aus der lebendigen Erfahrung des Augenblicks heraus geleistet werden muß.

Man kann das nicht lernen wie eine Lektion, und es steht auch nirgendwo geschrieben, *wann* man das lernen sollte. Die Lektion kommt mit der Feststellung: ›Aha, so reagiere ich also auf diese Situation.‹

Eines möchte ich allerdings wiederholen: Nichts entbindet eine Mutter kleiner Kinder von der Pflicht, ständig wachsam zu sein.

### DIE MÜTTER

»Natürlich, wenn Sie vom Einkaufen nach Hause kommen und dumm genug sind, die Tüte mit dem Reis nicht gleich wegzuräumen, dann verstreut das Kind ihn eben über den ganzen Fußboden. (Gelächter) Das heißt aber nicht, daß das Kind ungezogen ist, sondern es ist einfach so, daß *Sie* sich blöd benommen haben! Ich meine, wenn mein Kind so etwas macht, dann sage ich mir doch, daß es das beste ist, wenn wir schleunigst wieder auf den Spielplatz gehen – im Sandkasten kann sie herumstreuen, soviel sie will.«

### D. W. W.

Ja, daß der Reis verschüttet wurde, war ja nun wirklich die Schuld der Mutter. Aber ich könnte mir denken, daß sie trotzdem ärgerlich war! Manchmal ist es einfach eine Frage der Architektur – wie die einzelnen Räume angeordnet sind oder ob Küche und Kinderzimmer durch eine Glastür verbunden sind...

### DIE MÜTTER

»Bei uns ist das sehr günstig. Unser Eßzimmer hat eine Verbindungstür zur Küche und ist zugleich eine Art Spielzimmer für die Kinder, und ich sehe auch darauf, daß sie dort bleiben. Die Tür lasse ich allerdings offen, und solange sie wissen, daß ich nebenan bin und daß sie mich jederzeit sehen können, bleiben sie tatsächlich, wo sie sind.«

»Und ab wann hat das funktioniert?«

»O, von klein an, sobald sie aus dem Laufstall heraus waren, mit einem Jahr oder so. Sie brauchen nur an die Tür zu kommen, dann sehen sie mich, und dann gehen sie wieder zurück zu ihren Spielsachen.«

## D. W. W.

Ja, das ist wirklich günstig, wenn die Räume so angeordnet sind.

Und dann hören wir auch von der Belastung, die das ständige Aufpassen für die Mütter bedeutet. Ich glaube, das wird vor allem dann als anstrengend empfunden, wenn eine Frau vor der Heirat berufstätig war. Dann kennt sie nämlich die Art von Befriedigung, die die meisten Männer bei ihrer Arbeit empfinden, die Befriedigung, sich konzentrieren zu können und dann nach Hause zu kommen und sich entspannen zu können. Insoweit ist das Leben den Frauen gegenüber wohl doch ein bißchen unfair. Wir wollen uns noch einmal anhören, was die Gruppe zu diesem Thema zu sagen hat:

»Ist es eigentlich dieses ständige Aufpassen, Ablenken, Ermahnen und so weiter, was so ermüdend ist?«

»Ja«. (Stimmengewirr)

»Es ist nicht nur ermüdend; es kostet auch Zeit. Und dabei versucht man ja sowieso schon immer mehrere Dinge auf einmal zu tun. Man muß das Essen vorbereiten, gleichzeitig steht ein Topf mit Windeln auf dem Herd, jemand klopft an die Haustür – und wenn man sich umdreht, stellt man fest, daß der Junior sich gerade am Gasherd oder an dem elektrischen Heizgerät zu schaffen macht, das man am Abend zuvor vergessen hat wegzustellen. Solche Sachen passieren nun mal – man kann einfach nicht alles im voraus bedenken.«

49

# D. W. W.

Nein, das kann man wirklich nicht. Aber glücklicherweise dauert das »ewige Aufpassen« halt doch nicht ewig – auch wenn es so aussieht –, es dauert jeweils nur eine begrenzte Zeit. Aus jedem Kleinstkind wird nur zu bald ein Klein- und schließlich ein Schulkind, und von da an teilt man sich die Aufgabe des Aufpassens ja schon mit den Lehrern. Das »Nein« bleibt allerdings ein wichtiges Wort im Vokabular der Eltern, und das Verbieten gehört auch weiterhin zu den Dingen, die Mütter und Väter nun einmal tun müssen, bis das Kind sich auf seine je einmalige Weise aus der elterlichen Kontrolle befreit und sein eigenes Leben zu leben beginnt.

Es gibt noch ein paar wichtige Dinge in dieser Diskussion, auf die ich aus Zeitgründen heute nicht mehr eingehen kann. Glücklicherweise habe ich dazu in der nächsten Woche noch Gelegenheit.

\* \* \*

In dieser Woche möchte ich noch weiter über das Nein-Sagen sprechen. Und zwar werde ich es wieder so halten wie das letzte Mal: Ich werde über drei Stadien des Nein-Sagens sprechen, weil sich die Frage, wann, wie und warum man »nein« sagen muß, auf diese Weise am besten behandeln läßt. Ich werde diese drei Stadien noch einmal beschreiben, aber diesmal mit ganz anderen Worten. Es ist also nicht weiter schlimm, wenn Sie die Sendung in der letzten Woche nicht verfolgt oder wenn Sie alles schon wieder vergessen haben.

Ich habe erklärt, daß die drei Stadien sich überschneiden. Das erste ist nicht zu Ende, wenn das zweite beginnt, und so weiter. Das erste setzt bereits ein, bevor Sie »nein« sagen, zu einem Zeitpunkt, zu dem Ihr Kind noch nichts versteht und alles von Ihnen abhängt. Sie übernehmen die volle Verantwortung. Die Last dieser Verantwortung wird zwar mit der

Zeit geringer, aber wirklich enden wird sie erst, wenn das Kind erwachsen ist und die Kontrolle seitens der Familie nicht mehr nötig hat.

Das, was ich als das erste Stadium bezeichne, ist im Grunde Teil der elterlichen Haltung, und der Vater (wenn er denn existiert und verfügbar ist) trägt schon bald seinen Teil dazu bei, diese elterliche Haltung zu begründen und zu wahren. (Über die nächsten beiden Stadien möchte ich erst später sprechen; sie haben mit Worten zu tun, und Worte spielen im ersten Stadium überhaupt keine Rolle.) Ganz zu Anfang ist es also die Mutter, und wenig später sind es beide Eltern, die es sich zur Aufgabe machen, dafür zu sorgen, daß nichts Unerwartetes geschieht. Sie können sich das bewußt vornehmen, aber im Grunde ist es eine fast körperliche Haltung; es ist eine bestimmte Art des Verhaltens, die eine innere Einstellung spiegelt. Das Kind fühlt sich sicher; es nimmt das Selbstvertrauen der Mutter in sich auf, fast so, wie es die Milch in sich aufnimmt. Während dieser Zeit sagen die Eltern ständig »nein«; und zwar ist dieses Nein *an die Welt* gerichtet, es bedeutet: »Nein, wegbleiben, unsere Kreise dürfen nicht gestört werden. In diesem inneren Kreis ist das, was wir lieben, und nichts darf die Schranke durchbrechen.« Wenn die Mutter erschrickt, dann heißt das, daß die Schranke durchbrochen worden ist und das Kind eine Verletzung erfahren hat, gerade so, als ob ein furchtbarer Lärm hereingedrungen wäre, der eine so heftige Empfindung ausgelöst hat, daß sie für das Kind unerträglich gewesen ist. Zur Zeit der Luftangriffe hatten kleine Kinder natürlich nicht etwa Angst vor Bomben, aber sie spürten es sofort, wenn ihre Mütter in Panik gerieten. Die meisten Kinder gelangen durch die ersten Lebensmonate, ohne in dieser Weise zu leiden, und wenn die Außenwelt dann wirklich die innere Barriere durchbricht, hat das Kind bereits erste Formen der Bewältigung des Unerwarteten entwickelt, ja es ist sogar bis zu einem gewissen Grad fähig, die Ereignisse vorauszusehen. Wir könnten in diesem Zusammenhang auch über die verschiedenen Abwehrmechanis-

51

men sprechen, die das Kind mit der Zeit entwickelt, aber das ist natürlich wieder ein ganz anderes Thema.

Aus dieser frühen Phase heraus, in der Sie sich verantwortlich fühlen, entwickelt sich Ihr mütterliches bzw. elterliches Verantwortungsgefühl – das, was Mutter und Vater von ihren Kindern unterscheidet und die Haltung, die manche Leute gerne einnehmen, indem sie sich ihren Kindern als Kumpel andienen, vielleicht als Unsinn erscheinen läßt. Aber die Mütter müssen auch verstehen, ihren Kindern eine erste Ahnung von den Gefahren zu vermitteln, vor denen sie sie bewahren, und sie müssen ihnen begreiflich machen, welches Verhalten ihre Liebe und Zuneigung allzu sehr strapazieren würde. Sie werden also hin und wieder »nein« sagen müssen.

Wir sehen jetzt das zweite Stadium anbrechen, in dem das Nein der Mutter sich nicht mehr an die Außenwelt, sondern an das Kind richtet. Man hat in diesem Zusammenhang auch von der Einführung des Realitätsprinzips gesprochen, aber im Grunde ist es gleichgültig, welche Bezeichnung man wählt; die Mutter macht – im Verein mit dem Vater – das Kind allmählich mit der Realität und die Realität mit dem Kind bekannt. *Eine* Form, in der dies geschehen kann, bildet das Verbot. Sie werden erleichtert sein, mich das so sagen zu hören – daß das Nein-Sagen *eine* Möglichkeit bzw. das Verbot *eine von zwei Möglichkeiten* ist. Das Nein hat seine Grundlage im Ja. Manche Kinder werden auf der Basis des Nein aufgezogen. In diesen Fällen meint die Mutter vielleicht, Sicherheit sei nur dadurch zu erreichen, daß sie pausenlos auf irgendwelche Gefahren verweist. Aber es ist nicht gut, wenn ein Kind auf diese Weise mit der Welt bekannt gemacht wird, und glücklicherweise kommen sehr viele Kinder in den Genuß der anderen Methode: In dem Maß, wie ihre Welt sich weitet, nimmt auch die Zahl und Art der Objekte zu, zu denen die Mutter »ja« sagen kann. In diesen Fällen richtet sich die Entwicklung des Kindes also eher an dem aus, was die Mutter erlaubt, als an dem, was sie verbietet. Das Ja bildet den Hintergrund, vor dem das Nein möglich wird. Damit habe ich die Frage, was zu tun ist, selbstverständlich nicht erschöpfend erörtert; es geht einfach darum, ob ein Kind sich im wesentlichen am Ja der Mutter orientieren kann oder ob seine Entwicklung sich vorwiegend am Nein ausrichtet. Kleine Kinder sind manchmal schon in ihrer frühesten Lebenszeit in hohem Maße mißtrauisch – Sie wissen ja: auch hier gilt, daß es »solche und solche« gibt –; die meisten bringen ihren Müttern allerdings Vertrauen entgegen, zumindest für eine Weile. In der Regel strecken sie die Hand nach Gegenständen und eßbaren Dingen aus, die, wie sie festgestellt haben, die Mutter gut findet. Ist nicht dieses ganze erste Stadium ein einziges Ja? Es ist ein Ja insofern, als Sie Ihr Kind niemals im Stich lassen, als Sie wirklich nicht einen Augenblick lang in Ihrer Aufgabe nachlassen. Das ist ein wunderbares, unausgesprochenes Ja, das dem Kind eine feste Grundlage für sein Leben in dieser Welt gibt.

Ich weiß, daß es bei näherem Hinsehen nicht so einfach ist. Nur zu bald entwickelt jedes kleine Kind auch Aggressionen und destruktive Vorstellungen, die seinem bereitwilligen Vertrauen in die Mutter natürlich in die Quere kommen, und die Gefühle der Mutter für das Kind sind manchmal überhaupt nicht freundlich, auch wenn sie sich gibt wie immer. Mit Komplikationen dieser inneren Art brauchen wir uns hier allerdings nicht zu beschäftigen, denn wir haben schon genug zu bedenken, wenn wir uns klar machen, wie komplex die äußere Welt nur allzu bald wird. So kann es zum Beispiel sein, daß die Verbote der Mutter sich nicht mit denen der hilfreichen Großmutter oder einer dritten Pflegeperson decken. Und nicht alle Mütter sind aufgeklärt genug, um nicht irgendwelchen unbeweisbaren Vorstellungen aufzusitzen. Stellen Sie sich beispielsweise eine Mutter vor, die glaubt, alles, was grün ist, sei irgendwie giftig und dürfe deshalb nicht in den Mund genommen werden. Wie soll das Kind wissen, daß das grüne Ding giftig ist, das gelbe aber ganz wunderbar? Und was würde passieren, wenn das Kind farbenblind wäre? Ich weiß von einem

Kind, das von zwei Pflegepersonen versorgt wurde, einer Linkshänderin und einer Rechtshänderin, und das war zuviel. Wir rechnen also mit Komplikationen, aber irgendwie kommen die Kinder durch, sie schaffen es bis zum dritten Stadium, dem der verbalen Erklärungen. Jetzt können sie sich aus unserem Wissen bedienen; sie können lernen, was wir zu wissen glauben, und – was das Beste ist – sie sind jetzt fast soweit, mit unseren Erklärungen auch einmal *nicht* einverstanden zu sein.

Ich fasse zusammen: Am Anfang stehen Betreuung und Abhängigkeit, ja fast so etwas wie Gläubigkeit. Dann kommt die Moral ins Spiel; es gelten zunächst die moralischen Vorstellungen der Mutter, bis das kleine Kind seine eigene Moral entwickelt. Und dann ergibt sich – mit den Erklärungen – schließlich eine Basis, auf der sich ein Verständnis der Dinge entwickeln kann, also Wissenschaft und Philosophie. Ist es nicht faszinierend zu sehen, daß die Anfänge so großer Dinge wie Wissenschaft und Philosophie in diesem frühen Lebensstadium liegen?

Noch ein Wort zum »Nein« der Mutter. Ist es nicht auch das erste Zeichen des Vaters? In mancher Hinsicht ist der Vater wie die Mutter – er kann auf das Kind aufpassen und viele Dinge tun, die die Mutter auch tut. Aber als Vater erscheint er, wie ich meine, im Lebenskreis des kleinen Kindes zum erstenmal in Gestalt des strengen Elements in der Person der Mutter, desjenigen Elements, das sie befähigt, »nein« zu sagen und dabei zu bleiben. Wenn alles gut geht, verschmilzt das Prinzip »Nein« schließlich mit der Person dieses Mannes, der allmählich die Liebe und die Sympathie des Kindes gewinnt, des Vaters, der dem Kind auch einmal einen Klaps geben kann, ohne daß er dadurch etwas verlieren würde. Allerdings – das Recht auf den Klaps muß er sich erst verdienen, und zwar dadurch, daß er in der Nähe ist und daß er sich nicht etwa mit dem Kind gegen die Mutter verbündet. Die Vorstellung dieses personifizierten Nein mag Ihnen zunächst mißfallen, aber vielleicht können Sie meinem Gedankengang schließlich doch etwas abgewinnen, wenn ich Ihnen sage, daß kleine Kinder manchmal ganz gerne ein Nein hören. Sie wollen nicht immer mit kuscheligen Sachen spielen – sie mögen Steine, Stöcke und den harten Fußboden, und sie lassen sich ganz gerne sagen, »wo's langgeht«, so wie sie es auch gern haben, wenn man sie drückt und knuddelt.

(1960)

# 5
# Eifersucht

D. W. W.

Wie denken Sie über Eifersucht? Ist Eifersucht gut oder schlecht? Normal oder nicht normal? Wir werden jetzt eine Diskussion von Müttern kleiner Kinder hören, und es wäre nicht schlecht, wenn Sie diese Frage immer mitbedächten, sobald in dem Gespräch über irgendeine Form von Eifersucht berichtet wird: War in diesem speziellen Fall Eifersucht zu erwarten, oder ist da etwas schiefgelaufen? Ich glaube, die Antwort wird in keinem Fall leicht sein, aber wir müssen die Sache auch nicht komplizierter machen als nötig. Wir haben also zunächst einmal solche Passagen aus der Diskussion ausgewählt, in denen es um Dinge geht, wie sie sich in jeder Familie abspielen. Ich selbst sage gleich vorneweg, daß Eifersucht meiner Meinung nach normal und gesund ist. Sie ergibt sich aus dem Umstand, daß das Kind liebt. Ein Kind, das nicht lieben kann, zeigt keine Eifersucht. Später werden wir uns auch mit den weniger gesunden Aspekten der Eifersucht beschäftigen müssen, vor allem mit den verborgenen. Sie werden sehen, daß die Eifersucht in den Geschichten, die diese Mütter uns erzählen, in der Regel ein natürliches Ende findet, wenn es auch Fälle gibt, in denen sie noch einmal aufflackert, bevor sie ganz verschwindet. Ein gesundes Kind kann irgendwann sagen, daß es eifersüchtig ist, und wenn das einmal heraus ist, kann es auch sagen, weshalb oder worauf es eifersüchtig ist, und das ist schon einmal eine Erleichterung. Ich möchte hier den Gedanken vortragen, daß das erste, was man im Zusammenhang mit Eifersucht festhalten muß, dies ist: Die Eifersucht repräsentiert einen ganz bestimmten Schritt in der Entwicklung des kleinen Kindes – sie zeigt nämlich an, daß es fähig ist zu lieben.

Weitere Entwicklungsschritte befähigen das Kind, seine Eifersucht zu tolerieren. Zu den ersten Anfällen von Eifersucht kommt es gewöhnlich bei der Ankunft eines neuen Babys; andererseits ist bekannt, daß auch Einzelkinder nicht gegen Eifersucht gefeit sind. Ebenso wie ein neues Baby kann auch alles andere, was die Mutter in Anspruch nimmt, Eifersucht hervorrufen. Dabei bin ich überzeugt, daß Kinder, die Eifersucht kennengelernt und verarbeitet haben, reicher aus dieser Erfahrung hervorgehen. Das ist jedenfalls *meine* Meinung. Hören wir uns jetzt einmal an, was Mütter über das Thema Eifersucht zu sagen haben.

### DIE MÜTTER

»Frau S., Sie haben acht Kinder. Ist es vorgekommen, daß eines auf das andere eifersüchtig war?«

»Ja, das ist bei zwei oder drei von ihnen der Fall gewesen. Mein erster Sohn war 15 Monate alt, als der zweite auf die Welt kam. Eines Tages – der Kleine war etwa drei Wochen alt und trank gerade – strich der Große ihm übers Haar und sagte ganz zärtlich ›ba-ba‹, und ich sagte: ›Ja, ist er nicht süß?‹ Und in diesem Augenblick veränderte sich sein Gesichtsausdruck, und er schlug das Baby auf den Kopf und sagte ›ba-ba‹, aber diesmal mit einer ganz anderen Stimme, so daß ich mir dachte, na, der ist ja wohl nicht so ganz glücklich über das Baby. Und eine Woche später will ich mich gerade anziehen, um mit ihnen auszufahren, schaue aus irgendeinem Grund noch mal aus dem Fenster und sehe, daß der Große draußen gerade versucht, den Kleinen aus dem Wagen zu bugsieren. Daraufhin habe ich ihn sofort wieder an seinen alten Platz gesetzt und den Kleinen nach vorne genommen. Ich hab's dann später mit allen Kindern so gemacht, und von da an gab es keinen Ärger mehr im Kinderwagen. Es ist klar, sie wollen ihren Platz nicht für einen anderen räumen. Und dieses Kind – das erste – hat überhaupt fürchterliche Szenen gemacht; der hat geheult und geschrien und mit den Füßen gestampft – bestimmt alles deswegen.«

»Ist er immer noch eifersüchtig?«

»Überhaupt nicht. Da ist er längst drüber 'raus – er ist ja der Älteste und sehr stolz auf seine Geschwister –, aber eine Zeitlang war er es.«

»Frau L., was war mit Ihren dreien?«

»Der Älteste war zwei, als sein Bruder geboren wurde, und dreieinhalb, als seine Schwester kam. Er war ein zufriedenes, pflegeleichtes Kind. Anfangs nahm er überhaupt keine Notiz von seinem Brüderchen. Wir hatten versucht, ihn auf das Ereignis vorzubereiten. Aber er hat es einfach noch nicht verstanden.«

»Nein, dafür war er wohl doch noch zu klein.«

»Ja, er war zu klein, um es zu verstehen. Diese Gleichgültigkeit hielt vielleicht eine oder zwei Wochen an, und dann, eines Tages, sah er das Baby im Kinderwagen. Er hatte schon monatelang nicht mehr in diesem Wagen gesessen – er war ja längst 'rausgewachsen –, aber als er das sah, hat er schrecklich geweint.«

»Und wie alt war das Baby damals?«

»Vielleicht drei oder vier Wochen. Jedenfalls hat er schrecklich geweint, und ich glaube, damit hat es angefangen. Von da an kam er regelmäßig wieder mit nassen oder vollen Hosen an, kaum daß ich den Kleinen frisch gewickelt hatte. Es hat ewig gedauert, bis sich das wieder gegeben hat. Es wurde erst besser, als er älter und verständiger war.«

»Und was war, als seine Schwester geboren wurde?«

»O, mit der war er immer ganz lieb und zärtlich. Sein Bruder übrigens auch.«

»Und irgendwelche anderen Unarten gab es bei beiden nicht?«

»Nein. Aber später, als sein Bruder anfing zu sitzen und Notiz von seiner Umgebung zu nehmen – da war er manchmal aggressiv.«

»Und Sie halten das für ein Zeichen von Eifersucht?«

»O, aber ganz bestimmt. Eines Tages bin ich dazugekommen, wie er versuchte, den Kleinen im Kinderwagen zu würgen, und er war auch sonst ziemlich gemein zu ihm. Und ich fürchte, ich habe ihm das manchmal heimgezahlt, um des Kleinen willen, weil ich es einfach nicht ertragen konnte. Das war natürlich überhaupt nicht gut. Es hat auch nichts gebracht.«

## D. W. W.

Das sind ja nun wohl alltägliche Dinge, wie sie in jeder Familie vorkommen. Ich möchte Sie vor allem auf das Alter dieser Kinder hinweisen; das Alter ist nämlich in diesem Zusammenhang ganz wichtig. Der Junge, der seinen kleinen Bruder zuerst streichelte, als der gerade gefüttert wurde, und wenig später versuchte, ihn aus dem Wagen zu werfen, war fünfzehn Monate alt, als das Baby geboren wurde. Und dann war die Rede von dem Zweijährigen, der sich zunächst ganz indifferent verhielt. Die Eltern hatten ihm zwar gesagt, was demnächst zu erwarten sein würde, aber das konnte er vielleicht noch nicht verstehen. Dann, drei Wochen nach der Geburt seines Bruders, sah er das Baby in eben dem Kinderwagen liegen, der zuvor *sein* Wagen gewesen war, und fing bitterlich an zu weinen. Mit der einfühlsamen Hilfe seiner Mutter kam er zwar darüber hinweg, aber später, als der Bruder dann anfing, sich aufzusetzen und Notiz von seiner Umgebung zu nehmen, war er oft aggressiv und richtig böse. Einmal hat er sogar versucht, das Baby im Wagen zu ersticken. Erst mit ungefähr vier Jahren war er dann wieder einigermaßen umgänglich und freundlich. Auf die kleine Schwester waren weder er noch sein Bruder eifersüchtig. – Hören wir uns jetzt eine weitere Passage aus der Diskussion der Mütter an:

59

»Frau T., gab oder gibt es Eifersüchteleien unter Ihren sieben Kindern?«

»Also, Eifersucht, die gibt es eigentlich nur zwischen den Mädchen.«

»Wie viele Töchter haben Sie denn?«

»Nur zwei. Das erste ist ein Junge, das zweite ein Mädchen, dann kommen vier Jungen und am Schluß das andere Mädchen. Und Jean – die ältere Tochter – hat mich bestimmt hundertmal gefragt: ›Könnten wir nicht noch eine Schwester haben?‹ Es war aber jedesmal wieder ein Junge, und dann war sie immer ein paar Tage lang ein bißchen sauer, aber das ging schnell wieder vorbei. Ja, und dann kam sie eines Tages aus der Schule nach Hause und hörte, daß sie eine kleine Schwester hatte. Anfangs war sie total aus dem Häuschen vor Begeisterung. Das Dumme war nur: Das Baby war am 10. geboren worden, und am 16. war Jeans siebenter Geburtstag. Von Geburtstagsfeier natürlich keine Rede! Ja, und die nächsten vier Wochen sahen dann so aus, daß sie aus der Schule nach Hause kam, ein bißchen 'was aß und dann stracks ins Bett ging und sich die Augen ausheulte. Wir wußten nicht mehr, was wir noch machen sollten, sie war überhaupt nicht ansprechbar. Aber irgendwann dachte ich dann doch, sie hätte es verwunden – ich dachte, ich hätte es geschafft. Aber gestern – die Kleine ist krank und liegt im Bett – sage ich ganz harmlos zu Jean: ›Würdest du mir bitte mal einen neuen Schlafanzug für Patricia holen?‹ Und da dreht sie sich um und sagt: ›Wieso denn? Soll sie doch selber gehen und ihn holen, groß genug ist sie ja.‹«

»Sie ist also immer noch eifersüchtig?«

»Ja, es sieht ganz danach aus. Aber in der Zwischenzeit, seit Patricia ungefähr sechs Wochen alt war, da war alles in schönster Ordnung. Jetzt ist sie zwei, und plötzlich geht es wieder los. Ich kann nur hoffen, daß es sich bald wieder gibt.«

»Und auf ihre Brüder ist Jean nicht eifersüchtig?«

»Nein.«

# D. W. W.

Die kleine Schwester kam eine Woche vor Jeans siebentem Geburtstag auf die Welt, und als infolgedessen die Geburtstagsfeier ins Wasser fiel, reagierte Jean mit heftiger Eifersucht. Diese erste Episode dauerte sechs Wochen, und dann ging alles noch einmal von vorne los, als Jean neun und die Schwester zwei Jahre alt waren. Jean, eines von sieben Kindern, hatte die Geburt von vier kleinen Brüdern verkraftet und sich immer eine Schwester gewünscht. Wahrscheinlich ist die Schwester, die man schließlich bekommt, nicht notwendig die, die man sich gewünscht hat.

Hören wir uns jetzt eine weitere Geschichte an:

## DIE MÜTTER

»Frau G., was ist mit Ihren Kindern? Hatten Sie es auch mit Eifersuchtsanfällen zu tun?«

»O ja. Meine Tochter – sie ist jetzt viereinhalb – war knapp drei Jahre, als ihr Bruder auf die Welt kam. Sie war ganz begeistert, einen kleinen Bruder zu haben – oder jedenfalls ein Baby zu haben. Aber dann war es fast von Anfang an so, daß, wenn ich das Baby im Arm hatte, sie unbedingt bei meinem Mann auf dem Schoß sitzen wollte und umgekehrt. Wenn ich das Baby fütterte, verlangte sie, daß ich ihr etwas vorlas; zumindest wollte sie dicht neben mir sitzen.«

»Und das hat sich irgendwann gegeben?«

»Ja. Die Eifersucht legte sich irgendwann. Es war eine Phase, die schließlich vorbeiging. Dann war Ruhe, bis der Kleine, na ja, ich glaube, etwa ein Jahr alt war und in seinem Ställchen spielte. Damals gab es eine Menge Ärger wegen der alten Baby-Spielsachen, die ich für ihn wieder 'rausgeholt hatte. Natürlich erkannte sie die Sachen, und damit ging das Theater los – ›Das gehört mir, mir, mir!‹ –, und mit einem Mal wollte sie wieder mit Babyspielzeug spielen, und ich mußte neue Spielsachen kaufen, die ganz allein dem Kleinen gehörten, sonst hätte es keine Ruhe gegeben.«

»Und mit diesen neugekauften Sachen wollte Ihre Tochter nicht spielen?«

»O nein, nein, die hat sie nicht angerührt. Aber sobald sie ihn mit ihren Sachen spielen sah, wollte sie die wiederhaben, obwohl sie sie doch seit zwei Jahren nicht mehr in der Hand gehabt hatte. Das ging schließlich auch vorbei, ohne daß es zu heftigeren Auseinandersetzungen gekommen wäre. Jetzt ist er anderthalb, und es geht wieder los, weil er jetzt läuft und hinter ihren Sachen her ist.«

»Also ist es so etwas wie ein Tauziehen?«

»Ja, so kann man es nennen. Sie fängt an, irgend etwas aufzubauen, und ich sage: ›Tu doch die Sachen auf den Tisch, dann kommt er nicht dran.‹ Aber nein – sie baut ihr Zeug eben doch so auf, daß er drankommt, und kaum hat sie sich umgedreht, ist er auch schon da und bringt alles durcheinander. Sie wird richtig wild – aber sie ist sehr geduldig mit ihm, wirklich.«

## D. W. W.

Dieses kleine Mädchen war knapp drei Jahre alt, als der Bruder geboren wurde. Anfangs war sie begeistert, aber dann, als sie das Baby immer im Arm der Mutter sah, fühlte sie sich von ihm verdrängt und wandte sich statt an die Mutter nun an den Vater. Als der kleine Bruder ein Jahr alt war – sie selbst war inzwischen vier –, war sie keineswegs damit einverstanden, daß er ihre Spielsachen bekommen sollte, obwohl es Dinge waren, mit denen sie eigentlich gar nichts mehr anfangen konnte. Ist Ihnen übrigens aufgefallen, daß sie ihre eigenen Spielsachen so plazierte, daß der kleine Bruder sie erreichen konnte? Die Mutter sagt, sie sei in der Regel sehr geduldig mit ihm, und ich habe den Eindruck, daß es ihr in Wahrheit sogar ganz recht ist, wenn er sich an ihren Sachen vergreift, obwohl sie protestiert.

Vielleicht denkt sie ebenso von seinem Standpunkt wie von ihrem eigenen her.

Sind Sie nun, nachdem Sie sich alle diese Geschichten angehört haben, der gleichen Meinung wie ich – daß solche Eifersuchtsanfälle in jeder normalen Familie vorkommen?

* * *

Ich habe mir selbst die Frage vorgelegt: Wie und wann kommt es eigentlich zur Eifersucht? Und was muß notwendigerweise schon vorher da sein, bevor es sinnvoll ist, von Eifersucht oder Neid zu sprechen? Ich bringe das Wort »Neid« in die Diskussion, weil Eifersucht und Neid ja sehr eng zusammenhängen: Ein Kind, das eifersüchtig auf das neue Baby ist, neidet diesem Baby die Aufmerksamkeit der Mutter. Mir fällt auf, daß keine der Mütter, die sich hier über ihre kleinen Kinder unterhielten, irgend etwas von Eifersucht bei einem Kind unter 15 Monaten sagte. Mich würde interessieren, was Sie dazu meinen. Ich glaube nämlich, daß man Anzeichen von Eifersucht oder Neid auch schon vor dem Alter von 15 Monaten ausmachen kann, wenn auch nicht lange vorher. Ein neun Monate altes Kind zum Beispiel wäre wohl zu jung, zu unreif als Person, um eifersüchtig zu sein. Auch mit einem Jahr kann es vielleicht noch nicht – oder nur gelegentlich – eifersüchtig sein; mit 15 uw Monaten aber kann es das mit Sicherheit. Mit zunehmendem Alter richtet die Eifersucht sich auf zunehmend komplizierte Sachverhalte; am Anfang aber bezieht sie sich ziemlich eindeutig auf eine Beziehung, die gestört worden ist, oder darauf, daß ein Besitz – der für eine Beziehung steht – bedroht ist. Es ist die Beziehung zur Mutter, die der Eifersucht zugrunde liegt; später dann auch die Beziehung zum Vater. Viele von den ganz frühen Eifersuchtsanfällen beziehen sich eindeutig auf die Mutter, und oft kreisen sie um das Füttern und Gefüttertwerden. Das liegt daran, daß das Gefüttertwerden für das kleine Kind ja eine lebenswichtige Sache ist. Für die Mutter ist dagegen das Füttern nur eines von vielen Dingen, die sie für das Kind tut, aber auch für sie kann es außerordentlich wichtig sein. – Hören wir uns nun wieder einen Ausschnitt aus der Diskussion der Mütter an.


## DIE MÜTTER

»Sie sind 22 Monate auseinander. Den zweiten habe ich zu Hause bekommen, und der Große durfte ihn schon wenige Minuten nach der Geburt zum erstenmal sehen. Ein paar Tage lang ging alles gut, aber dann kam er eines Tages dazu, als ich gerade stillte, und von dem Augenblick an stellte er sich jedesmal hin und heulte, wenn er das sah. Das ging wochenlang so, und ich wußte wirklich nicht, was ich noch machen sollte. Ich habe alles versucht, um ihn zu beruhigen, ich habe ihn immer wieder getröstet – aber was wollen Sie machen, wenn Sie das eine Kind füttern und das andere daneben steht und heult? Nach etwa zwei Monaten hat er es dann gepackt – da sah es so aus, als wäre die Eifersucht ein für allemal vorbei. Aber als der Kleine dann mit sieben oder acht Monaten anfing zu sitzen, ging das Theater von neuem los. Er hat zwar nicht mehr geweint und geschrien, aber er war eifersüchtig.«

»Ja, meine war ein bißchen jünger; und ich muß sagen, ich finde es sehr interessant, weil sie doch seit – o, schon seit einiger Zeit – nicht mehr aus der Flasche getrunken hatte. Sie hatte ganz vergessen, wie das geht. Und es hat mir wirklich die Sprache verschlagen, als sie eines Tages dazukam, wie ich den Kleinen stillte, und auch mal probieren wollte. Na gut, dachte ich, aber dann, so aus der Nähe, war es ihr doch ein bißchen zuwider. Ich dachte, na schön, von mir aus, mal sehen, was passiert – und sie ist tatsächlich mehrmals gekommen, erst kürzlich wieder, einfach so, aus Spaß. Ich habe es ihr nicht ausgeredet, ich habe gesagt: ›Ja, dann probier halt mal‹, aber sie wollte nicht. Aber jetzt hat sie wieder angefangen, aus der Flasche zu trinken, nachdem der Kleine auch aus der Flasche trinkt. Ich gebe ihr ein ganz

64

kleines Fläschen, das arme Kind – so ein winziges Fläschen, nur symbolisch, Sie wissen schon.«

»Meine ältere Tochter sitzt immer bei mir auf dem Schoß, wenn ich das Baby füttere. Ich stille noch, und das ist schon ein ziemlich wildes Durcheinander, das können Sie sich ja vorstellen. (Gelächter) Sie ist ganz begeistert von ihm, sie tätschelt ihm den Kopf und streichelt ihn – aber sie ist auch erst 17 Monate, da ist das noch etwas anderes.«

»Bei uns gab es Eifersucht nur zwischen den beiden Ältesten, nicht zwischen Nummer zwei und Nummer drei. Aber die beiden Großen – als der Zweite geboren wurde, wollte meine Tochter immer bei meinem Mann auf dem Schoß sitzen oder irgend etwas ganz Bestimmtes haben oder ausgerechnet dann vorgelesen bekommen, wenn ich das Baby fütterte, na und so weiter. Das war dann irgendwann zu Ende, aber jetzt, wo der Kleine 17 Monate alt ist, gibt es dauernd diese schrecklichen Kämpfe zwischen ihnen. Was der eine gerade hat, das will der andere auch, und der Junge – natürlich, früher, da konnte sie ihm alles wegnehmen, sie ist ja drei Jahre älter als er –, aber jetzt hält er ganz schön fest, was er einmal in die Finger gekriegt hat, und dabei kreischt er – das ist kein Weinen mehr, er kreischt sie so richtig an. Aber das Baby haben sie beide sehr gern, das sieht man daran, wie sie mit ihm umgehen. Keines von ihnen scheint auf das Kleinste eifersüchtig zu sein.«
»Das ist ja nicht eigentlich Eifersucht, wenn sie sich nur um Sachen streiten, das ist eher ...«
»Sie wollen meine Aufmerksamkeit.«
»Ach so.«
»Wenn ich dem Kleinen ein Babyspielzeug gebe, etwas, was meiner Tochter längst langweilig geworden ist, dann will sie es im gleichen Augenblick auch haben, und zwar nur deshalb, weil ich es *ihm* gegeben habe. Hätte ich es einfach auf dem Tisch liegen lassen, jederzeit erreichbar, dann hätte sie überhaupt keine Notiz davon genommen.«

65

# D. W. W.

Sie haben an diesen Gesprächen gesehen, daß sehr vieles mit dem Füttern zusammenhängt. Ich möchte mal diese letzte Geschichte heranziehen, um deutlich zu machen, was ich meine. Das kleine Mädchen war häufig erkennbar eifersüchtig auf das zweite Kind, den Jungen, aber irgendwann hat sich das gegeben. Jetzt ist der Bruder 17 Monate alt, und es gibt den schlimmsten Streit um die Spielsachen. Aber jetzt ist sie ganz anders eifersüchtig, und er hält auf eine ganz charakteristische Weise an den Sachen fest und schreit. Die eine Mutter sagte: ›Das ist doch nicht Eifersucht, wenn sie sich nur um Sachen streiten.‹ Dem stimme ich zu. Aber genau an diesem Punkt können wir verfolgen, wie Eifersucht entsteht. Ich sagte Ihnen ja, Eifersucht entwickelt sich in einem ganz bestimmten Alter. Und jetzt sage ich Ihnen: Ab einem bestimmten Alter ist ein Kind eifersüchtig, während es vor diesem Alter nichts anderes tut, als sich an seinen Besitz zu klammern. Zuerst kommt das Besitzenwollen, die Eifersucht kommt später.

Das erinnert mich an eine Theateragentur, deren Werbeslogan lautet: »Sie wollen die besten Plätze; wir haben sie.« Das macht mich immer wahnsinnig eifersüchtig, so daß ich am liebsten hinrennen würde, um mir die Plätze zu sichern, die ich will und die diese Leute haben. Der Haken dabei ist, daß ich dafür zahlen muß. Sie verstehen, worauf ich hinauswill: Bis zu einem bestimmten Alter sagt das kleine Kind beständig: ›Ich habe die allerbeste Mutter‹ – nur natürlich nicht mit diesen Worten. Irgendwann kommt dann der Augenblick, in dem es verkündet: ›Ich habe die allerbeste Mutter – und du willst sie haben.‹ Und das ist ein schmerzlicher Augenblick.

Um diese Entwicklung im einzelnen zu verstehen, müssen wir allerdings noch ein Stück weiter zurückgehen. Es gibt ein noch früheres Stadium, bevor das Baby sozusagen verkündet: ›Ich habe die beste Mutter‹. In dieser früheren Phase wird die Tatsache, daß das Baby die beste Mutter hat, einfach als gegeben vorausgesetzt. Für öffentliche Verkündigung dieses Satzes ist in diesem Stadium noch kein Raum. Das Kind nimmt die Mutter und alles, was für sie steht, als selbstverständlich hin. Dann kommt ›Ich habe die allerbeste Mutter‹, und das ist der Augenblick, in dem ihm zum erstenmal dämmert, daß die Mutter nicht ein Teil seiner selbst, sondern etwas von außen Kommendes ist, daß sie möglicherweise einmal nicht kommt und daß es vielleicht noch andere Mütter gibt. Die Mutter wird für das Kind jetzt zu einem Besitz, den es festhalten oder loslassen kann. All das braucht natürlich seine Zeit; wir sprechen insoweit von der emotionalen Entwicklung des kleinen Kindes. Und schließlich kommt die zweite Hälfte des Spruches: ›Und du willst sie haben.‹ Aber das ist noch keine Eifersucht; es geht um die Verteidigung eines Besitzstandes: Das Kind klammert sich fest daran. Wenn die Theaterkasse das gleiche täte, kämen wir nie in den Genuß irgendeiner Vorstellung. Schließlich stellt sich die Erkenntnis ein, daß dieses zentrale Besitztum, die Mutter, jemand anderem gehören kann. Das Kind gehört nun zur Gruppe der Bedürftigen und nicht mehr zur Gruppe der Besitzenden. Jetzt ist es jemand anderes, der besitzt. Und an diesem Punkt ist das Wort Eifersucht am Platz: Es beschreibt, was in einem Kind vorgeht, wenn ein neues Kind auftaucht, wie der Geist eines früheren Selbst, ein Kind, das an der Brust der Mutter gestillt wird oder friedlich im Kinderwagen schläft.

Ich möchte wiederholen, was ich gesagt habe. Ich habe von der frühesten Kindheit gesprochen, in der alles, was erstrebenswert ist, als Teil des Selbst erlebt wird oder so in Erscheinung tritt, als wäre es aus dem Bedürfnis des Kindes heraus erschaffen worden. Das Kommen und Gehen der Mutter wird von dem kleinen Kind als etwas vollkommen Selbstverständliches erlebt. Danach wird der geliebte Gegenstand / die geliebte Person zum Bestandteil einer Welt, die außerhalb des kleinen Kindes besteht, und zu einem Besitz, den man behalten oder verlieren kann. Jede Bedrohung dieses Besitzverhältnisses sorgt für Mißstimmung und bewirkt, daß das Kind sich heftig an sein Objekt klammert. Mit der Zeit und im Zuge seiner weiteren Entwicklung wird das Kind selbst zum Bedroher, zu dem, der alles Neue haßt, das auftaucht und Ansprüche an die Mutter stellt, also etwa ein neues Baby oder auch nur das Buch, das sie gerade liest. Jetzt kann man davon sprechen, daß die Fähigkeit zur Eifersucht erworben worden ist. Das Kind belegt das neue Baby oder das Buch, das die Mutter gerade liest, mit Neid und unternimmt alles, um die verlorene Position wieder-zuerlangen, und sei es nur für eine gewisse Zeit oder in symbolischer Form. Das erklärt, weshalb so viele Kinder, die zum erstenmal von Eifersucht geplagt sind, versuchen, wie-der zum Säugling zu werden, und sei es nur in einer bestimmten Hinsicht oder nur für kurze Zeit. Manchmal möchte ein solches Kind sogar wieder gestillt werden. In der Regel wollen diese Kinder aber nur wieder so behandelt werden, wie sie damals behandelt wurden, als alles noch ihnen gehörte, als sie die Besitzenden waren und es noch niemanden gab, der nicht hatte, sondern *wollte*. Sie erinnern sich vielleicht, daß in der letzten Woche von einem Kind die Rede war, das wieder einnäßte, und gerade eben haben Sie ja von dem Kind gehört, dem die Mutter eine kleine Flasche kaufte, ein Symbol, wie sie sagte.

Wenn Sie sich überlegen, was im Laufe der Tage und Wochen in dem kleinen Kind so alles vorgeht, dann ist leicht einzusehen, warum es eine verläßliche Umgebung braucht, und eben diese verläßliche Umgebung können Sie Ihrem Kind eher als irgend jemand sonst geben. Wie oft überlegen Sie sich, ob dies oder das nun richtig oder falsch gewesen ist. Aber es ist viel wichtiger, die Vorgänge im Blick auf Wachs-tum und Entfaltung des Kindes zu betrachten.

\* \* \*

# D. W. W.

Das Gespräch der Mütter hat gezeigt, daß die Eifersucht irgendwann auch wieder verschwindet, und ich möchte jetzt der Frage nachgehen, wie das geschieht. Was sich abspielt, steht im Zusammenhang mit der Entwicklung, die das Kind gerade durchläuft.

Sicher möchten Sie gerne wissen, was gerade in dem Kind vorgeht, einfach weil es für Sie von Interesse ist. Wenn einmal etwas nicht so läuft wie erwartet, was zwangsläufig hin und wieder vorkommt, dann sind Sie im Nachteil, wenn Sie nicht wissen, was vor sich geht. Wenn Sie es aber wissen, dann werden Kritik und gelegentliche Bemerkungen Außenstehender Ihnen nicht mehr so viel ausmachen.

Ich möchte hier darüber sprechen, wie diese inneren Vorgänge schließlich dazu führen, daß die Eifersucht sich legt. Erstens: Eifersucht ist das, was wir sehen, wenn das Kind sich in einem akuten Konflikt befindet. Vielleicht ist das Kind nach außen hin einfach ängstlich, nur daß es selbst durchaus weiß, worum es geht. Das eifersüchtige Kind empfindet Liebe und Haß zugleich, und es fühlt sich schrecklich dabei. Anfangs ist es für das Kind vielleicht sogar ganz nett zu sehen, wie das neue Baby versorgt oder gefüttert wird. Mit der Zeit dämmert ihm dann aber, daß das ja gar nicht es selbst ist, sondern jemand anderes, und nun bringt die Liebe zur Mutter eine extreme Wut hervor – Wut auf das neue Baby, Wut auf die Mutter, Wut einfach auf alles. Eine Zeitlang spürt das Kind nichts als Wut. Ein Teil dieser Wut kommt zum Ausdruck: Das Kind brüllt und schreit, es schlägt mit Händen und Füßen um sich und schmeißt alles durcheinander. In seiner Phantasie macht es alles kaputt, zerstört und zerbricht es alles, was ihm in die Quere kommt. Was schließlich den nächsten Entwicklungsschritt ermöglicht, ist die Tatsache, daß die Welt, das Baby und die Mutter überleben. Die neue Entwicklungsstufe des Kindes besteht in seiner Fähigkeit, dieses Überleben zu erkennen, zu begreifen, daß die Welt, es selbst und die Mutter überlebt haben.

Dies ist eine weitere Form, wie das Kind zwischen Phantasie und Realität zu unterscheiden lernt: In seiner Vorstellung war die Welt durch seine Wut zerstört worden wie durch eine Atombombe, aber sie hat überlebt, und die Mutter begegnet ihm nicht anders als zuvor.

Es ist also ungefährlich, in der Phantasie zu zerstören, zu hassen. Diese neue Erkenntnis ermöglicht es dem Kind, die Situation mit weniger Geschrei und Um-sich-Schlagen, als es aus seiner Sicht zweifellos angebracht wäre, zu überstehen.

Nach ein paar Wochen ist die Eifersucht zu etwas anderem geworden, zur Empfindung anhaltender Liebe, wobei diese Liebe jetzt komplizierter geworden ist; sie enthält nun auch destruktive Elemente. Wir Außenstehenden haben jetzt ein Kind vor uns, das manchmal traurig ist. Etwas oder jemanden zu lieben und gleichzeitig davon zu träumen, daß, was man liebt, Schaden erleidet, macht traurig.

Eine Erleichterung bedeutet es für das Kind auch, daß das, was in seinen destruktiven Träumen zu Schaden kommt, etwas sein kann, das für das neue Baby oder die Mutter steht, sei es nun eine Katze, ein Hund oder ein Stuhl. Mit der Traurigkeit geht ein gewisses Maß an sorgender Teilnahme an dem Baby (bzw. an dem Objekt der Eifersucht, was immer es nun gewesen sein mag) einher. Die Mutter weiß allerdings, daß sie darauf nicht schon von Anfang an bauen kann, weil diese Anteilnahme sich noch eine Zeitlang nur allzu leicht in eine Eifersuchtsattacke verwandelt, und wenn dann gerade niemand aufpaßt, ist schnell ein Unglück geschehen.

Was ich hier zum Ausdruck bringen will, ist der Gedanke, daß das Phantasieleben des Kindes nun seine Aufgabe übernimmt und den Druck, gleich handeln zu müssen, von ihm nimmt; das gibt ihm Zeit und Gelegenheit, ein erstes Gefühl der Verantwortung zu entwickeln.

Eine zweite Voraussetzung dafür, daß die Eifersucht sich legt, sehe ich in der zunehmenden Fähigkeit des Kindes, befriedigende Erfahrungen in sich aufzunehmen und zu einem Teil seines Selbst zu machen. Das Kind sammelt einen Schatz guter Erinnerungen an – Erinnerungen daran,

daß es gut versorgt wurde, Erinnerungen an angenehme
Empfindungen, daran, daß es gebadet wurde, daß es jauch-
zend aufschrie oder lächelte, daß es die Dinge fand, wenn es
sie brauchte und wo es sie erwartete und manchmal in einer
Weise, die besser war als erwartet. Und das Kind sammelt
Erinnerungen daran, daß auf höchste Erregung, besonders
bei der Nahrungsaufnahme, Befriedigung folgte.

Alle diese Dinge könnten zusammengenommen auch als
eine Vorstellung von der Mutter oder eine Vorstellung von
Mutter und Vater bezeichnet werden. Daß manche Kinder
überhaupt keine Eifersucht zeigen, hat seinen Grund darin,
daß sie genug bekommen haben, auf jeden Fall genug, um
im Notfall darauf zurückgreifen zu können.

Das Dritte, worauf ich zu sprechen kommen möchte, ist
komplizierter. Es hat mit der Fähigkeit des Kindes zu tun,
die Erfahrungen anderer nachzuvollziehen. Wir sagen in
diesem Fall auch, jemand könne sich »in die Lage eines
anderen versetzen«. Das klingt freilich seltsam, wenn dieser
andere ein Säugling ist, der gestillt oder gebadet wird oder in
seiner Wiege schläft. Sind kleine Kinder dazu überhaupt
fähig? Manche brauchen sehr lange Zeit, unter Umständen
Jahre, bis sie es fertigbringen, die Dinge nicht nur aus dem
Blickwinkel einer anderen Person zu sehen, sondern tatsächlich auch ein Stück des Lebens einer anderen Person
mitzuleben. Es ist nicht schwer, Kinder – Jungen wie Mädchen – zu finden, die sich mit ihrer Mutter identifizieren. Sie
lassen die Mutter Mutter sein, während sie zugleich spielen,
sie wären die Mutter, und sich in der Phantasie an deren
Stelle setzen. Das wird im folgenden Auszug aus dem
Gespräch der Mütter deutlich:

DIE MÜTTER

»Frau G., was sagen Ihre Kinder zu dem neuen Baby?«

»O, bisher haben sie beide noch kein Anzeichen von
Eifersucht gezeigt. Aber untereinander sind sie eifersüchtig,

wenn es darum geht, das Baby anzufassen oder zu streicheln oder im Arm zu halten.«

»Also so etwas wie Rivalität?«

»Ja, genau – Rivalität. Ich setze mich zum Beispiel hin und habe das Baby auf dem Schoß. Gleich kommt meine Tochter und will mit ihm reden, und im Nu ist dann auch der Kleine da – er ist jetzt 18 Monate alt – und versucht, sie mit dem Ellbogen wegzudrängen, bevor sie es auch nur richtig angesehen hat. Und dann geht so eine Art Tauziehen darum los, wer das Baby haben darf.«

»Und wie verhalten Sie sich dabei?«

»Ja nun – ich sehe halt zu, daß sie es nicht gerade erdrücken, daß es noch Luft bekommt.«

»Passiert das oft?«

»Ja, doch..... Dann fangen sie an, an ihm zu ziehen und zu zerren, und jeder findet, jetzt wäre er aber wieder mal an der Reihe. Das Baby ist noch viel zu klein, als daß ich es mit den beiden allein lassen könnte. Am Ende sitzen sie dann manchmal beide auf dem Fußboden und halten ihn abwechselnd – ich bin natürlich auch dabei –, und ich zähle bis zehn und sage dann: ›So, und jetzt bist du wieder dran.‹ Ich hielt das anfangs für eine gute Idee, aber es klappt nicht so richtig.«

D. W. W.

Im nun folgenden Beispiel scheint die Schwester sich mit ihrem kleinen Bruder identifizieren zu wollen:

### DIE MÜTTER

»Die Eifersucht legte sich irgendwann. Es war eine Phase, die schließlich vorbeiging. Dann war Ruhe, bis der Kleine, na ja, ich denke, etwa ein Jahr alt war und in seinem Ställchen spielte. Damals gab es eine Menge Ärger wegen der alten Baby-Spielsachen, die ich für ihn wieder 'rausgeholt hatte. Natürlich erkannte sie die Sachen wieder, und damit ging das Theater los – ›Das gehört mir, mir, mir!‹ –, und mit einem Mal wollte sie wieder mit Babyspielzeug spielen, und ich mußte ein paar neue Spielsachen kaufen, die dann allein dem Kleinen gehörten, sonst hätte es keine Ruhe gegeben.«

»Und mit diesen neugekauften Sachen wollte Ihre Tochter nicht spielen?«

»O nein, nein, die hat sie nicht einmal angerührt. Aber sobald sie ihn mit ihren Sachen spielen sah, wollte sie sie wiederhaben, obwohl sie sie seit zwei Jahren nicht in der Hand gehabt hatte. Das ging schließlich auch vorbei, ohne daß es zu heftigeren Auseinandersetzungen gekommen wäre. Jetzt ist er anderthalb, und es geht wieder los, weil er jetzt läuft und hinter ihren Sachen her ist.«

»Also ist es so etwas wie ein Tauziehen um die Spielsachen?«

»Ja, so kann man es nennen. Sie fängt irgend etwas an, und ich sage: ›Tu die Sachen doch auf den Tisch, dann kommt er nicht dran.‹ Aber nein – sie baut ihr Zeug eben doch so auf, daß er drankommt, und kaum hat sie sich umgedreht, ist er auch schon da und bringt alles durcheinander. Sie wird richtig wild – aber sie ist sehr geduldig mit ihm, wirklich.«


D. W. W.


Wir haben uns dieses Stück schon in der ersten Sitzung angehört, in der es um Eifersucht ging, und ich sagte damals: ›... ich habe den Eindruck, daß es ihr in Wahrheit sogar ganz recht ist, wenn er sich an ihren Sachen vergreift, obwohl sie protestiert. Vielleicht denkt sie ebenso von seinem wie von ihrem eigenen Standpunkt her.‹ Das Leben wird sehr viel reicher, wenn es phantasiereich, durch die Erfahrungen eines anderen, gelebt werden kann, solange dabei nicht das Gefühl dafür, was nun wirklich die eigenen

Erfahrungen sind, verlorengeht. Auf diese Weise fangen wir an zu spielen. Im Phantasie-Spiel sind der Identifizierung mit Menschen und Dingen keine Grenzen gesetzt. Das Kind kann ebensogut ein Staubsauger sein wie ein Pferd, eine Königin, ein Prinz, das neue Baby oder die Mutter, die das Baby stillt, oder auch der Vater. Sie können Ihrem Kind die Fähigkeit zu spielen nicht beibringen, aber Sie fördern seine Entwicklung, indem Sie es beschützen, indem Sie tolerant sind, indem Sie warten oder hundert andere Dinge tun, ohne darüber nachzudenken. Es gäbe noch vieles zu sagen, aber vielleicht reicht das schon, um eines deutlich zu machen: Wenn die Eifersucht schließlich wieder verschwindet, dann aufgrund der Entwicklung, die das Kind genommen hat und die möglich war, weil es die ganze Zeit über gut betreut und versorgt wurde.

* * *

Ich habe Ihnen die Eifersucht kleiner Kinder als eine normale und gesunde Sache dargestellt, als ein Zeichen dafür, daß sie lieben können und daß sie auf dem Weg heraus aus jener gänzlichen Unreife, mit der ihr Leben begann, bereits beträchtliche Fortschritte gemacht haben. Ich habe über gewisse Entwicklungen gesprochen, die letzten Endes dafür sorgen, daß Eifersucht irgendwann kein Thema mehr ist. Und schließlich habe ich immer wieder darauf hingewiesen, daß diese Entwicklungen nicht zufriedenstellend ablaufen können, wenn Sie Ihrem kleinen Kind nicht jene lebendige Beziehung bieten, in der es Verläßlichkeit erfährt, eine Beziehung, in der Sie bleiben, was Sie sind.

Abgesehen von dieser soliden Basis, die Sie schaffen, gibt es noch eine Reihe von Dingen, die Sie tun können und die ebenfalls von Bedeutung sind. Zum Beispiel können Sie Ihrem Kind helfen, sich auf kommende Ereignisse einzustellen. Wenn Sie wissen, daß demnächst eine Veränderung in seinem Leben eintreten wird, dann werden Sie dies auf irgendeine Weise ankündigen. Wenn es nächstens etwas

Neues zu essen bekommen soll, dann lassen Sie es vielleicht schon einmal probieren und warten dann in Ruhe ab; und wahrscheinlich wird das Kind das Neue, das Sie bereitstehen haben, bald von sich aus haben wollen. Ebenso werden Sie versuchen, Ihr Kind irgendwie vorzubereiten, wenn Ihre neue Schwangerschaft so weit fortgeschritten ist, daß Sie einigermaßen sicher sind, bald wieder ein Baby zu bekommen. Sie denken vielleicht, das sei leichter, wenn Sie erst einmal Worte benutzen und Erklärungen geben können, aber das bezweifle ich. Wenn Ihr Kind schon sprechen kann, werden Sie es ihm natürlich mit Worten und Geschichten und auch mit Hilfe von Bilderbüchern erklären. Es wäre seltsam, wenn Sie das nicht täten. Aber das eigentlich Wichtige ist doch Ihre Einstellung, und diese Einstellung ist wirksam, lange bevor Sie Worte benützen können. Wenn Ihnen eine neue Schwangerschaft zum Beispiel als etwas Schönes und Natürliches erscheint, dann können Sie einem einjährigen Kind nach und nach zu verstehen geben, daß es einen Grund dafür gibt, wenn es auf Ihrem Schoß jetzt ein bißchen anders sitzt als früher. Ihre kleine Tochter oder Ihr kleiner Sohn spürt allmählich, daß Sie da etwas Kostbares in sich haben. Wenn Sie sich dagegen mit der neuen Schwangerschaft und den Veränderungen, die sie mit sich bringt, nicht so rasch abfinden können (und so geht es ja vielen Frauen), wird so etwas wie ein Geheimnis daraus, und das kleine Kind, dessen Leben sich durch die Geburt des neuen Babys ja doch erheblich verändern wird, ist in keiner Weise vorbereitet, wenn es soweit ist. Es ist leichter, wenn das erste Kind schon etwas älter ist. Hören Sie dazu die folgende Geschichte:

### Die Mütter

»Ich habe mir damals, vor Rogers Geburt, viele Gedanken gemacht. Wissen Sie, ich hatte ja die beiden Töchter, die damals vierzehn und dreizehn waren, und ich wollte gern noch ein Kind, solange es möglich war. Ich wußte tatsächlich nicht, was ich tun sollte, und schließlich sprach ich mit den Mädchen und fragte sie, was sie davon halten würden, wenn ich noch ein Kind bekäme. Es mag ein bißchen merkwürdig sein, daß man sich mit seinen Kindern über ein weiteres Kind unterhält, das noch nicht einmal gezeugt ist, aber ich hielt es für eine ganz gute Idee. Sie waren total begeistert und sagten, das sei wunderbar, und sie fänden es toll, noch ein Kind, ein Baby in der Familie zu haben. Wir kamen dann alle miteinander überein, daß es ein Junge sein würde. Und Susan, die Jüngere, die damals dreizehn war – Roger kam nämlich zu früh, und ich sagte der Hebamme, sie solle es Susan sagen, daß die Wehen eingesetzt hatten, und wenn sie Lust hätte, könnte sie kommen und bei den Wehen dabeisein. Sie kam dann vor der Schule fröhlich zu mir hereingesprungen, als ich schon starke Wehenschmerzen hatte, und ich holte tief Luft und dachte bei mir: ›Hoffentlich kriegt sie nicht den Schock ihres Lebens‹, und dann sagte ich: ›Also, das ist jetzt wieder eine Wehe, und damit wird man so fertig, wie du es jetzt bei mir siehst . . .‹ Und sie gab mir einen herzhaften Klaps auf den Rücken und sagte: ›Okay, das wird bestimmt noch einige Stunden dauern. Also dann, bis später!‹ Und weg war sie. Und jetzt, nächsten Monat, erwartet sie selbst ein Kind, und ich glaube, sie freut sich sehr darauf. Gut vorbereitet, würde ich sagen.«


## D. W. W.

Dieses Mädchen war dreizehn, und selbstverständlich redete die Mutter mit ihr, aber ich glaube, das wirklich Entscheidende war die Einstellung der Mutter. Wie ist es aber nun mit kleineren Kindern? Ein ein- oder zweijähriges Kind wird noch ewig brauchen, bis es versteht, warum der Februar in diesem Jahr 29 Tage hat, und doch scheint es mir durchaus möglich, daß es sich schon jetzt ein wenig in die Mutter eines Babys hineinfühlt. Wohlgemerkt, ich spreche vom Fühlen und nicht vom Denken. Die meisten einjährigen Kinder haben irgendeinen Gegenstand, der ihnen lieb und teuer ist und den sie manchmal mit einer etwas rauhen Zärtlichkeit bedenken, und wenig später spielen sie ganz offensichtlich Mutter und Kind.

Ich sagte bereits, daß Sie Ihrem Kind helfen, sich auf zukünftige Geschehnisse einzurichten. Sie tun aber natürlich noch mehr. Sie bemühen sich zum Beispiel, fair zu sein, was sehr schwierig ist; Sie können nicht mehr tun als es versuchen. Und Sie können sich vornehmen, möglichst unparteiisch zu sein, ausgenommen natürlich in bezug auf das neue Baby, das am Anfang das Gefühl haben muß, daß Sie ihm ganz gehören. Sie und der Vater des Kindes teilen sich in jeder Hinsicht in die Verantwortung. Und das ältere Kind wird sich ganz selbstverständlich an den Vater wenden, wenn es unzufrieden mit der Mutter ist, die jetzt anderweitig beschäftigt ist. Die meisten Väter möchten sehr gerne helfen und sind überhaupt nicht glücklich darüber, daß sie so viel Zeit an ihrem Arbeitsplatz verbringen und deshalb keine große Stütze sein können.

Ja, und noch eines: Üblicherweise geben Mütter die Dinge, die ihren älteren Kindern besonders lieb und teuer sind, nicht gerade dem neuen Baby, sondern sie sehen darauf, daß jedes Baby seinen eigenen Neuanfang macht und seine eigenen Spielsachen bekommt. Auch wenn also die Entwicklung Ihres Kindes im großen und ganzen darauf aufbaut, daß das Kind sich auf Sie verlassen kann, gibt es daneben doch noch viele andere Dinge, die Sie tun, um besondere Belastungen aufzufangen.

Ich denke, Sie wissen, daß hier machtvolle Gefühle im Spiel sind, und daß kleine Kinder die Dinge keineswegs schwächer empfinden als wir. Ich frage mich sogar, ob sie sie nicht vielleicht stärker empfinden. Wir Erwachsenen schätzen uns glücklich, wenn wir es fertiggebracht haben, ein Stück weit mit jener Intensität des Erlebens in Berührung zu bleiben, die ein Kennzeichen der frühen Kindheit ist. Kleine Kinder empfinden die Dinge nicht nur mit größter Intensität, sie sind von einer Sache, die ihnen im Augenblick heftig zu schaffen macht, auch nicht abzulenken. Sie haben noch keine eigene Methode entwickeln können, um mit allzu schmerzlichen Gefühlen fertigzuwerden oder diese Gefühle abzuwehren; deshalb schreien sie. Und deshalb ist es so wichtig, daß Sie Ihrem Kind helfen, sich auf bevorstehende außergewöhnliche Ereignisse einzustellen.

In der Zeit des Wartens auf ein vorauszusehendes Ereignis kann sich so etwas wie ein System von Schutzmechanismen in Ihrem Kind entwickeln – so etwa wie wenn Ihre Kinder mit Spielzeugsoldaten spielen und Armeen aufbauen, mit denen ein Fort verteidigt oder angegriffen wird. Der Gedanke, daß die Gefühle kleiner Kinder so stark und daß Ängste und Konflikte für sie etwas so Schreckliches sind, daß sie ein inneres Abwehrsystem dagegen entwickeln müssen, bringt mich zum letzten Punkt, den ich in diesem Gespräch über das Thema Eifersucht behandeln möchte. Ich meine die abnorme Eifersucht. Es kommt häufig vor, daß die Dinge nicht so glatt laufen. Entweder die Eifersucht hört nicht auf, sondern bleibt als offene Eifersucht bestehen, oder sie wird sozusagen unter den Teppich gekehrt und schadet so der Persönlichkeit des Kindes.

Es hat keinen Zweck, in der Kindererziehung so etwas wie Vollkommenheit anzustreben. Vieles, was zunächst falsch läuft, rückt sich im Laufe der Zeit zurecht oder verändert sich immerhin so weit, daß es nicht mehr in Erscheinung tritt. Manches bessert sich allerdings überhaupt nicht. Wenn ich hier wiederholt sagte, Eifersucht sei etwas Normales und Gesundes, dann sagte ich das im Hinblick auf kleine Kinder. Im Laufe seiner Entwicklung bildet jedes Kind die Fähigkeit aus, Eifersucht zu tolerieren, darüber zu schweigen und sie als Ansporn zum Handeln zu nutzen. Wenn Ihre Freundin etwas Schöneres ergattert hat als Sie, dann können Sie in aller Gelassenheit abwarten; vielleicht ziehen Sie später mit ihr gleich, oder Sie sind irgendwann froh, sich etwas ganz anderes gekauft zu haben. Sie wägen die Dinge gegeneinander ab. Es wird eine Menge Dinge an

Ihnen geben, um die andere Leute Sie beneiden. Das gehört nun einmal zum Leben und zum Zusammenleben.

Sie haben im Laufe Ihres Lebens gelernt, mit diesen Dingen einigermaßen mühelos fertigzuwerden. Anfangs waren Sie allerdings – ebenso wie ich – kaum imstande, den rechten Augenblick abzuwarten. Aber wir müssen auch zugeben, daß es Menschen gibt, bei denen auf Dauer etwas schiefgelaufen ist. Vielleicht haben Sie eine Nachbarin, die wirklich ein eifersüchtiges Temperament hat. Solche Leute bringen es fertig – gewöhnlich ohne zu wissen, was sie tun –, ihre unmittelbare Umgebung zu Handlungen zu provozieren, die sie notwendig eifersüchtig machen müssen. Es sind unglückliche Menschen, mit denen schwierig umzugehen ist, und diese Art von Eifersucht scheint mir keineswegs gesund.

Eine der diskutierenden Mütter sprach sehr offen von sich selbst und ihrer ewigen Eifersucht auf ihren Bruder:

### DIE MÜTTER

»Ich war lange Zeit allein ... erst als ich drei war, präsentierte meine Mutter mir einen kleinen Bruder. Ich fand das gar nicht schön. Noch als Schulkind war ich eifersüchtig und habe ihn oft gebissen ... Er hat nie erfahren, daß ich das getan habe, und ich habe es auch nie zugegeben ... Aber selbst heute ... ich bin jetzt 29, und er ist 26 – wenn meine Mutter sagt: ›Hör zu, ich habe William gerade dies oder jenes gekauft‹, dann sage ich nur: ›Ach ja?‹ Also soviel wie: ›Ist mir doch egal!‹ Dann sagt sie: ›Na ja, ist ja gut! Was soll ich *dir* kaufen?‹ Und dann sagt sie mir genau, wieviel sie für William ausgegeben hat, und sorgt dafür, daß ich genau den Gegenwert bekomme. Jetzt hat sie ihm einen Siegelring gekauft ... Ich weiß, es ist albern von mir, es ist auch gehässig, denn ich bin schließlich verheiratet, und er ist nicht verheiratet – aber wenn sie ihm einen Siegelring kauft, dann höre ich mich doch prompt sagen: ›Kann er sich den nicht

selber kaufen?‹ Verstehen Sie? In der Woche drauf habe ich
einen Ring mit einem Monatsstein bekommen.«


## D. W. W.

Wenn wir es mit Menschen zu tun haben, die mit einem
wirklich eifersüchtigen Temperament ausgestattet sind,
können wir sicher sein, daß sie in ihrer frühen Kindheit gute
Gründe hatten, eifersüchtig zu sein. Das Traurige ist, daß
solche eifersüchtigen Menschen zu dem Zeitpunkt, als das
verständlich gewesen wäre, keine Chance hatten, wütend,
eifersüchtig und aggressiv zu sein, und daher auch nicht
lernen konnten, damit umzugehen. Hätten sie diese Chance
gehabt, dann hätten sie die Phase der Eifersucht wahrscheinlich so durchlaufen und schließlich hinter sich gelassen wie
die meisten anderen Kinder auch. Statt dessen hat die
Eifersucht sich nach innen gekehrt, der eigentliche Grund
dafür ist verloren gegangen, und so kommen solche Menschen ständig mit falschen Gründen für ihre Eifersucht
daher und verlangen, daß wir diese Gründe anerkennen. Sie
können solchen Fehlentwicklungen vorbeugen, indem Sie
Ihrem kleinen Kind jene Zuwendung und Fürsorge zuteil
werden lassen, die es ihm ermöglicht, im richtigen Augenblick eifersüchtig zu sein. Ich bin der Meinung, daß unter
solchen Bedingungen die Eifersucht sich schließlich in Rivalität und Ehrgeiz verwandelt.

(1960)

80

# 6
# Was geht den Müttern kleiner Kinder auf die Nerven?

## D. W. W.

Manche Leute erschrecken sehr, wenn sie feststellen, daß sie kleinen Kindern gegenüber auch andere als nur liebevolle Gefühle hegen. Wenn Sie sich das folgende Gespräch anhören, werden Sie feststellen, daß es sich bei den beteiligten Müttern um Frauen handelt, die sich ihrer Liebe ziemlich sicher sind; sie ist ihnen ganz selbstverständlich, und eben deshalb scheuen sie sich nicht, sich auch über die Schattenseiten des häuslichen Lebens zu unterhalten. Diese Mütter waren aufgefordert zu sagen, was ihnen an ihrer Aufgabe lästig ist, was sie als mühselig empfinden und worüber sie sich ärgern. Es fiel ihnen offensichtlich nicht schwer, dieser Aufforderung nachzukommen. Hier ist der Anfang des Gesprächs:

## D. W. W.

»Heute nachmittag würde ich gerne einmal von Ihnen hören, was Ihnen im Zusammenhang mit Ihren Aufgaben als Mutter mühselig oder lästig erscheint. Frau W., sagen Sie uns doch erst einmal, wie viele Kinder Sie haben.«

»Ich habe sieben, und sie sind zwischen drei und 20 Jahren alt.«

»Und erscheint Ihnen Ihre Aufgabe als Mutter eher mühselig?«

»Ja, also, im großen und ganzen schon, wenn ich ehrlich sein soll. Ich meine, das Schlimme in so einer Familie, das sind die Kleinigkeiten, die einen ärgern – die ewige Unordnung und daß man immer hinterher sein muß, daß sie endlich ins Bett kommen; solche Sachen finde ich lästig.«

»Frau A.?«

»Also, ich habe ja nur zwei Kinder – das eine läuft schon, und das andere ist noch ganz klein, und natürlich ist es der Große, der mir auf die Nerven geht, der Arme. Es ist wie bei Frau W. – es sind die kleinen Dinge, und daß man keine Zeit hat; es ist eine ewige Hetze, und mein Sohn, der will natürlich immer gerade dann etwas ganz anderes machen, wenn wir aus dem Haus müssen und sowieso schon in Eile sind.«

»Frau S.?«

»Ich habe zwei Töchter; die eine ist drei, und die andere ist gerade ein Jahr geworden. Ich bin der gleichen Meinung – daß die Zeit ein riesiges Problem ist – daß man nie genug Zeit hat, all das zu tun, was man gerne tun würde.«

»Wollen Sie damit sagen, daß Sie gerne mal etwas anderes tun würden, als nur auf die Kinder aufzupassen, etwas für sich selbst?«

»Ja, so meine ich es. Ich kümmere mich wirklich gern um die Kinder, und meistens finde ich auch, daß das eine sehr schöne Arbeit ist, nur daß man immer in Eile ist . . . Besonders schlimm ist es, wenn ich müde bin. Manchmal überfällt mich die Müdigkeit so richtig. Ich kämpfe dagegen an, aber es ist nicht so einfach . . .«

»Und was glauben Sie, weshalb Mütter oft so müde sind? Könnte es daran liegen, daß Sie zu viele verschiedene Dinge zu tun und zu wenig Zeit dafür haben, oder ist es so etwas wie ein Aufbegehren gegen die Situation?«

»Nein, ich glaube, man hat zu viele verschiedene Dinge zu tun und zu wenig Zeit dafür. Wenn die Kinder um sechs ins Bett sollen, dann hat man gerade den Tee hinter sich, das Geschirr steht noch ungespült 'rum, das Baby muß gefüttert werden, und daneben muß man das Abendessen für den Mann vorbereiten – und das alles soll in knapp einer Stunde geschafft sein.« (Gelächter)

# D. W. W.

Das ist eine gute Situation, um anzufangen: Wenn Sie mehrere Kinder haben, kann Ihre Wohnung nicht immer aufgeräumt aussehen, und es ist auch unmöglich, immer einen aufgeräumten Kopf zu haben. Es ist immer eine Hetze, und Sie müssen ständig die Uhr im Auge behalten. Und Kinder – jedenfalls kleinere Kinder – haben den Punkt noch nicht erreicht, an dem es Freude machen kann, sich anzupassen und die Erwachsenen nachzuahmen. Die Welt ist schließlich für sie gemacht, nicht wahr, und entsprechend verhalten sie sich. Ja, und dann die Müdigkeit, die immer eine Rolle spielt. Wenn Sie müde sind, können Ihnen auch Dinge auf die Nerven gehen, die normalerweise sehr interessant sind, und wenn Sie nicht genug geschlafen haben und gegen die Müdigkeit ankämpfen müssen, dann sind Sie einfach nicht voll da, um sich an all den hochinteressanten Dingen zu erfreuen, die Kinder nun einmal tun und die ja schließlich ein Zeichen dafür sind, daß sie sich jeden Tag ein Stück weiterentwickeln.

Sie werden bemerkt haben, daß ich dieses Mal über Mütter und ihre Gefühle spreche und nicht über die Kinder, für die sie sorgen. Es ist nur zu leicht, die Aufgabe einer Mutter zu idealisieren. Wir wissen sehr wohl, daß jede Arbeit ihre öden Seiten hat, die ewige Routine, und daß es Zeiten gibt, in denen man die eigene Arbeit wirklich für das letzte hält, was irgend jemand sich wünschen könnte. Warum sollte man also diese Arbeit – die Versorgung und Betreuung kleiner und größerer Kinder – nicht ganz genauso betrachten dürfen? Ich glaube, daß diese Mütter sich in ein paar Jahren gar nicht mehr genau daran erinnern werden, wie ihnen »damals« zumute war, und daß sie sich, wenn sie erst einmal die stillen Gewässer des großmütterlichen Lebens erreicht haben, diese Aufnahme mit großem Interesse wieder anhören werden.

Die Mütter

» ... und das alles soll in knapp einer Stunde geschafft sein.«
»Bei uns herrscht jeden Abend zwischen halb sechs und
halb acht das komplette Chaos ... da wissen wir wirklich
nicht mehr, wo uns der Kopf steht. Es soll ja alles zu einer
bestimmten Zeit erfolgen, aber das klappt nie, weil immer
irgendwas Gräßliches passiert – da wird die Milch verschüttet, oder es passiert sonstwas ... Oder die Katze sitzt auf
seinem Bett, und da kann er natürlich nicht schlafen gehen;
und wenn die Katze nicht da ist, dann ist es noch schlimmer,
dann ist sie nämlich weg ... Ja, und dann kommen sie
mindestens sechsmal wieder nach unten, um zu sehen, was
ich mache ... Wirklich, das komplette Chaos.« (Gelächter)


D. W. W.


Das mit der Katze gefällt mir, die entweder da ist oder nicht
da ist! Das Ganze hat überhaupt nichts damit zu tun, ob Sie
Ihre Sache richtig oder falsch machen. Falsch sind eher die
Dinge, so wie sie nun einmal sind, und da könnte man ja nun
annehmen, andersherum wäre alles richtig – aber das stimmt
natürlich auch nicht. Vielleicht achten Sie auch gar nicht so
sehr auf die vielen Dinge, die gut gehen, während alles, was
auch nur ein bißchen schief geht, zu einer Riesenangelegen-
heit wird und mit Schreien und Weinen endet.
   Im nächsten Abschnitt wird etwas erwähnt, das sehr
verbreitet sein muß – das Gefühl, daß irgendeine spezielle
Begabung allmählich verkümmert oder daß man etwas, mit
dem man sich gern näher beschäftigen würde, unendlich
lange aufschieben muß.

»Gibt es Dinge, die Sie gerne für sich selbst tun würden und die Sie wegen der Kinder nicht tun können? Also zum Beispiel eine Geschichte schreiben, einen ganz besonderen Kuchen backen oder irgend etwas anderes tun, das ganz speziell für Sie wichtig ist?«

»Also, ich zum Beispiel wäre sehr an Sozialarbeit und allen diesen Dingen interessiert. Man hat mir eine solche Arbeit sogar angeboten, obwohl ja klar war, daß ich das Angebot nicht annehmen konnte, weil mir die Zeit fehlt. Es hat mich schon immer sehr gestört, daß ich nichts von alldem tun kann, weil ich nun mal zu Hause gebraucht werde.«

»Ich habe letztes Jahr einen Nähkurs mitgemacht, und das hat mir sehr gefallen. Aber dann kam das zweite Kind, und da hatte ich immer schon Angst, abends nicht rechtzeitig fertig zu werden, und wenn es dann erst mal acht Uhr war, dachte ich mir: ›Also, deswegen jetzt noch aus dem Haus gehen – das wird mir einfach zuviel.‹«

»Gibt es Dinge, die Sie gerne tun würden?«

»O ja. Ich habe große Freude am Nähen, aber es macht mich ganz verrückt, wenn ich an der Nähmaschine sitze und die Kinder ... (Gelächter) Es macht mir wirklich Freude, ich kann dabei alles um mich herum vergessen, ich weiß dann auch nicht mehr, wie spät es ist, und das endet natürlich mit Ärger. Ich kann meine Zeit sowieso nicht besonders gut einteilen; ich vertrödele mich gern.«

»Was mich zum Beispiel sehr stört, das ist, wenn ich mich bei dem, was ich am Vormittag mache, unterbrechen muß, um zu kochen – ein Mittagessen, das von mir aus auch aus einem harten Ei bestehen könnte, aber ... schließlich habe ich ja auch noch einen Mann; ich *muß* also kochen ...«
(Stimmengewirr)

# D. W. W.

Jetzt kommen – neben den Kindern – auch die Ehemänner
ins Spiel, die gewisse Erwartungen haben und noch die
letzte Anstrengung der Ehefrau – und Mutter – zunichte
machen, sich irgendein persönliches Interesse zu bewahren,
das Konzentration erfordert. An diesem Punkt ist es kein
Wunder, wenn die Frau sich wünscht, ein Mann zu sein und
einen schönen Posten mit geregelter Arbeitszeit zu haben,
im Hintergrund eine Gewerkschaft, die dafür sorgt, daß *ihm*
eben jene Dinge erspart bleiben, die *sie* mühsam und lästig
findet. Und das ist auch der Punkt, an dem sie nicht mehr
begreifen kann, daß es Männer gibt, die die Frauen beneiden
– die sie beneiden, weil sie zu Hause bleiben dürfen, wo sich
die Hausarbeit türmt und die Kinder das allerprachtvollste
Durcheinander anrichten. Ja, und da wären wir wieder bei
Unordnung und Durcheinander:

## DIE MÜTTER

»Die Unordnung ist für mich ein fürchterliches Problem.
Ich habe eine Haushaltshilfe, und wenn wir das ganze Haus
geputzt haben und alles in Ordnung ist, vergehen keine
25 Minuten, und man könnte glauben, ich hätte seit zwei
oder drei Jahren nichts mehr getan – überall liegt Spielzeug
herum, das sie gerade dringend brauchen, und überall liegen
Papierschnipsel, weil sie gerade Papier zerschneiden mußten. Ich weiß, ich sollte mich über solche Sachen nicht
beklagen. Selbstverständlich müssen sie das alles tun, und
selbstverständlich macht man kein großes Aufhebens davon,
sondern läßt sie machen.«
»Also, bei uns war es so, daß sie als kleinere Kinder – so bis
zu vier Jahren oder auch bis zum Schulalter – immer genau
da sein wollten, wo ich auch war, und wenn ich in der Küche
war und kochte, na ja, dann mußten sie eben auch in der
Küche sein und kochen, und wenn ich im oberen Stock war,

dann waren sie ebenfalls dort. Sie wichen mir einfach nicht von der Seite, sie sind immer hinter mir hergelaufen, und das ist manchmal wirklich furchtbar lästig.«

## D. W. W.

Und wie wäre es, wenn man das Durcheinander auf einen einzigen Raum beschränkte?

### Die Mütter

»Finden Sie es besser, wenn die Kinder sich im ganzen Haus ausbreiten können, oder versuchen Sie, sie möglichst auf einen Raum zu beschränken?«

»Also, ich habe *ein* Zimmer, da hoffe und bete ich immer, daß sie dort nicht so eine entsetzliche Unordnung veranstalten, aber sie machen sich unweigerlich im ganzen Haus breit – sie sind einfach überall.«

»Halten Sie es für möglich, sie räumlich irgendwie zu beschränken?«

»Also, ich weiß nicht, ob ich da einfach Glück habe, aber Christopher scheint begriffen zu haben, daß er im Kinderzimmer spielen soll.«

»Wie alt ist er?«

»Zwei – etwas über zwei.«

»Kann er Sie von seinem Kinderzimmer aus sehen?«

»O nein, das liegt nicht neben der Küche. Aber wir haben kein Häuschen, sondern eine Wohnung, die Räume liegen also alle auf der gleichen Ebene, und da kann er ja jederzeit kommen – er spielt auch mal in der Küche. Viele Leute halten das ja für falsch. Ich habe einfach nicht daran gedacht, ein Gitter in die Tür zu hängen, und dann war es zu spät. An der Wohnzimmer- und der Eßzimmertür haben wir ganz altmodische Klinken, um die seine Hand noch nicht herumpaßt – diese Räume sind bisher verschont geblieben.«

87

## D. W. W.

Da hilft offenbar nichts: Wir müssen es hinnehmen, was ja schon der bekannte Kinderreim von der Frau schildert, die mit ihren vielen Kindern in einem Schuh lebte und »nicht wußte, was sie tun sollte«.* Genauso geht es vielen Müttern, die mehrere kleine Kinder haben – im Augenblick wissen sie tatsächlich nicht, was sie machen sollen. Vielleicht wird es besser, wenn die Kinder älter werden, vielleicht aber auch nicht.

## DIE MÜTTER

»Bei uns gibt es jeden Abend Streit wegen der Hunde – wer sie füttern muß. Eigentlich geht es reihum mit dem Hundefüttern, aber es gibt immer einen Grund, weshalb der, der gerade dran ist, sie ausgerechnet heute partout nicht füttern kann. (Gelächter) Die Hunde warten, aber es dauert mindestens 25 Minuten, bis sie endlich ihr Futter bekommen, weil erstmal gestritten werden muß. Diese Streitereien in großen Familien, die gehen mir wirklich furchtbar auf die Nerven. Es geht ja nicht nur um das Hundefüttern. Auch beim Essen – kaum hat man sich an den Tisch gesetzt, da sagt einer irgendwas, und im Nu geht es wieder los – einer schreit den anderen nieder, denn schließlich muß sich ja jeder behaupten. Sie streiten wirklich fürchterlich und über alles mögliche.«

## D. W. W.

Alle diese Beispiele zeigen, wie mühsam das Leben mit kleinen Kindern sein kann, und zwar unabhängig davon, daß diese Kinder ja gewollt wurden und geliebt werden. Das

---

* »There was an old woman who lived in a shoe, she had so many children she didn't know what to do.«

Problem ist ein Problem der Mutter, in deren Privatbereich eingebrochen wird. Sicherlich gibt es irgendwo noch ein Stück von ihr selbst, das sakrosankt ist und an das selbst ihr eigenes Kind nicht herankommt? Soll sie Widerstand leisten oder sich ergeben? Das Schlimme ist: Wenn die Mutter etwas hat, das sie irgendwo verborgen hält, dann ist es genau das, was das kleine Kind will. Und wenn es nicht mehr als ein Geheimnis ist, dann ist es eben dieses Geheimnis, das gefunden und auseinandergenommen werden muß. Ihre Handtasche hätte dazu allerhand zu sagen. In der nächsten Woche möchte ich noch einmal auf dieses Thema zurückkommen.

* * *

Gegen Ende der letzten Sendung, nachdem die Mütter sich über Dinge unterhalten hatten, die für sie besonders lästig sind, habe ich ein spezielles Thema aufgenommen und in den Mittelpunkt gestellt: die Tatsache, daß auch die privateste Sphäre der Mutter von dem kleinen Kind erobert und das Innerste nach außen gekehrt wird. Darauf möchte ich heute noch etwas näher eingehen, denn schließlich gehört das ja auch zu den Dingen, die Eltern – und besonders Mütter – als lästig empfinden können.

Sie werden sich erinnern, daß diese Mütter mit ihrer Situation als verheiratete Frauen einverstanden sind, daß sie ihre Kinder gewollt haben, daß sie die Kinder lieben und sich im Grunde kein anderes Leben wünschen. Als sie aber aufgefordert wurden zu sagen, was sie als ärgerlich und lästig empfinden und was ihnen auf die Nerven geht, kamen sie dieser Aufforderung gerne nach.

Es gibt natürlich auch Mütter, die andere Erfahrungen gemacht haben. Im Extremfall geht es ihnen erheblich schlechter; sie wissen in der Tat nicht mehr ein und aus und brauchen Hilfe. In diesen Fällen hat die Unordnung gesiegt, die Mutter wurde reizbar und nervös oder war nicht mehr die Person, die sie einmal gewesen war. Am anderen Ende des *Kontinuums* stehen jene anderen Mütter, bei denen von

Unordnung oder von der Eroberung ihrer Privatsphäre nie die Rede war. Diese Mütter schafften es, ihr Wohnzimmer aufgeräumt zu halten, ihre Kinder fügten sich von Anfang an in eine vorgegebene Ordnung, und die meiste Zeit war alles friedlich. Die Mutter mit ihren mehr oder weniger unverrückbaren Vorstellungen davon, was richtig und was falsch sei, dominierte die Szene, und die Kinder hatten sich anzupassen, ob sie nun zur Anpassung reif waren oder nicht. Man kann selbstverständlich eine Menge zugunsten eines »friedlichen« Familienlebens in einem geordneten Haushalt vorbringen, aber nur, wenn dieser Zustand erreichbar ist, ohne daß die Kinder in ihrer Spontaneität allzusehr eingeengt werden.

Bei alledem sollten wir eines nicht vergessen: Es gibt ganz große Unterschiede sowohl zwischen Eltern als auch zwischen Kindern. Auf dieser Basis können wir uns über eine große Variationsbreite unterhalten, ohne die einen als gut und die anderen als schlecht zu bezeichnen. Aber meinen Sie nicht, daß extreme Formen des Erziehens gewöhnlich ein Anzeichen dafür sind, daß irgend etwas nicht stimmt?

In meinen Gesprächen mit Eltern bekomme ich immer wieder zu hören, in viktorianischer Zeit, also in der zweiten Hälfte des vergangenen Jahrhunderts, sei ja alles noch so einfach gewesen: Die Kinder hatten im Kinderzimmer zu bleiben, und was immer die Eltern taten oder unterließen, sie brauchten sich noch keine Gedanken darüber zu machen, ob sie der psychischen Gesundheit ihrer Kinder damit schadeten oder nutzten. Aber auch damals sah der Alltag der allermeisten Frauen doch so aus, daß die Kinder ihnen zwischen den Füßen herumwuselten, alles durcheinanderbrachten und Lärm machten, ohne daß ein Kindermädchen in gestärkter Schürze der geplagten Mutter zur Seite stand. Jede Zeit handhabt die Dinge auf ihre Weise, aber eines, so scheint mir, bleibt sich immer gleich, und das ist diese schreckliche Tendenz kleiner Kinder, sich auch noch in jenen Bereich des Innenlebens der Mutter hineinzudrängen, den sie keinesfalls preisgeben möchte. Die Frage ist: Ist eine

Mutter in der Lage, sich erfolgreich gegen dieses Eindringen zu wehren, kann sie ihre Geheimnisse bewahren, ohne dem Kind etwas Wesentliches vorzuenthalten – das Gefühl, daß sie erreichbar ist? Am Anfang seines Lebens war das Kind ein Alleineigentümer, und zwischen diesem Gefühl zu besitzen und seiner schließlichen Unabhängigkeit bedarf es zweifellos einer Art Zwischenstation, also der Gewißheit, daß die Mutter verfügbar ist.

Der Beobachter weiß aus Erfahrung, daß diese bedingungslose Verfügbarkeit der Mutter nur für eine begrenzte Zeitspanne gilt. Die Mutter hatte einmal ihre Geheimnisse, und sie wird sie irgendwann auch wieder haben. Und dann wird sie es als ein Glück erachten, daß es eine Zeit gab, in der das Kind ihr mit seinen endlosen Forderungen so endlos zusetzte.

Solange sie sich allerdings in dieser Phase der bedingungslosen Verfügbarkeit befindet, gibt es für sie kein Gestern und kein Morgen. Es gibt nur diese augenblickliche Erfahrung, daß ihr kein Bereich geblieben ist, der von ihrem Kind nicht erkundet worden wäre, kein Nord- und kein Südpol, den der unerschrockene kleine Forscher nicht entdeckt und aufgewärmt hätte; kein Everest, den der Kletterer nicht erobert und aufgegessen hätte. Der Grund ihres Ozeans wird mit dem Tiefseetauchgerät erkundet, und wenn ihr letztes Geheimnis die Rückseite des Mondes ist, so wird auch diese erobert und fotografiert und so das Geheimnis in eine beweisbare Tatsache verwandelt. Nichts an ihr ist sakrosankt.

Wer würde sich nach alldem in die Position einer Mutter wünschen? Ja, wer schon, wenn nicht eine Mutter, die kleine Kinder hat! Und vielleicht noch ein paar ziemlich ausgefallene Leute, jene Kinderschwestern, die sich in diese Position hineinfinden.

Sie werden sich vielleicht fragen, zu welchem Zweck hier versucht wird, das in Worte zu fassen, was an der Situation einer Mutter so nervenaufreibend sein kann. Ich bin der Meinung, daß Mütter es als eine Erleichterung empfinden, diesen ganzen Ärger in dem Augenblick aussprechen zu können, in dem er sie plagt. Unterdrückter Ärger vergiftet die liebevolle Atmosphäre, die doch zweifellos vorhanden ist. Das ist wahrscheinlich der Grund, weshalb wir gelegentlich fluchen. Ein Wort im richtigen Augenblick bringt den ganzen Ärger auf den Punkt und macht ihn öffentlich, und danach können wir uns wieder den Dingen zuwenden, die wir gerade zu tun haben. Ich habe es immer wieder erlebt, daß Mütter es als hilfreich empfinden, wenn man sie mit ihren erheblichen Ressentiments in Kontakt bringt. Die meisten Mütter brauchen keine Hilfe; für die anderen aber, die Hilfe brauchen, habe ich die wichtigsten Gründe dafür, weshalb Mütter unter Umständen das Gefühl haben, ihre Kinder zu hassen, einmal zusammengetragen.*

Es ist Ihnen natürlich klar, daß ich hier von Müttern spreche, die ihre Kinder zwar lieben, sich aber nicht scheuen, auch ihre anderen Gefühle unter die Lupe zu nehmen. Zum Beispiel ist dieses ganz bestimmte Baby nicht das Kind, das die Mutter sich vorgestellt hat; es entspricht nicht wirklich dem Bild, das sie sich von ihm gemacht hatte. In gewisser Hinsicht wäre ein von ihr geschaffenes Gemälde eher ihre eigene Schöpfung als dieses Kind, das inzwischen doch eine so starke Realität in ihrem Leben geworden ist. Dabei ist dieses reale Kind ja nicht auf magische Weise in ihr Leben getreten, sondern im Verlauf eines mühsamen Prozesses von Schwangerschaft und Entbindung, der die Mutter in Gefahr brachte. Dieses wirkliche Baby, das nun ihr Baby ist, tut ihr weh, wenn es saugt, auch wenn der Vorgang des Stillens auf der anderen Seite sehr befriedigend für sie sein kann. Allmählich kommt die Mutter dahinter, daß das Kind sie wie eine unbezahlte Arbeitskraft behandelt, daß es ihre ganze Aufmerksamkeit beansprucht und sich zu Anfang keineswegs um *ihr* Wohlergehen schert. Es kann sogar sein,

---

* D. W. Winnicott, »Hate in the Countertransference«, in Through Paediatrics to Psycho-Analysis. Dt.: »Haß in der Gegenübertragung«, in Von der Kinderheilkunde zur Psychoanalyse. München (1976).

daß es sie beißt – und das auch noch aus Liebe! Und dieses Kind soll die Mutter von Anfang an von ganzem Herzen lieben, mit Haut und Haaren, seine häßlichen ebenso wie seine netten Seiten und das ganze Durcheinander, das es verursacht. Es dauert nicht lange, und das Baby verliert die Illusionen bezüglich der Mutter, und es zeigt ihr das, indem es das Essen, das ihm geboten wird, zurückweist, so daß die Mutter schließlich an sich selbst zweifelt. Und die aufgeregte Liebe des Kindes ist berechnende Liebe; sobald es nämlich satt und zufrieden ist, kann die Mutter sehen, wo sie bleibt. Soll ich noch mehr Gründe aufzählen, weshalb eine Mutter ihr Baby hassen könnte? Also gut:

In diesem frühen Stadium hat das Kind keine Ahnung, was die Mutter macht (und gut macht!) und welche Opfer sie dafür bringt, ihre Sache gut zu machen; wenn aber etwas schief geht, beschwert es sich, indem es schreit. Nachdem die Mutter einen scheußlichen Vormittag hinter sich hat, weil das Kind getobt und geschrien hat, geht sie mit ihm einkaufen, und eine fremde Dame sagt: »Ist der aber süß!« oder: »Was für ein nettes und freundliches kleines Wesen!« – Die ganze Zeit über hat die Mutter das dumpfe Gefühl, daß sie es ewig wird büßen müssen, wenn sie zu Anfang irgend etwas falsch macht, während es auf der anderen Seite nicht den geringsten Grund gibt, auf Dankbarkeit zu hoffen, wenn sie ihre Sache gut macht. – Ich denke, Sie werden mit Leichtigkeit noch ein Dutzend weitere Gründe finden. Aber Sie finden wahrscheinlich keinen gravierenderen als den, über den ich jetzt noch etwas ausführlicher sprechen möchte – daß Ihre Kinder nämlich noch in Ihren innersten Bereich einbrechen. Ich will versuchen, Ihnen das verständlich zu machen.

Ganz zu Beginn gibt es keinerlei Schwierigkeiten; Sie tragen das Baby in sich, und das Baby ist ein Teil von Ihnen. Obwohl sozusagen nur ein Mieter, verbindet das Baby in Ihrem Körper sich mit allen Vorstellungen von Babys, die Sie jemals hatten, und am Anfang ist das Baby wirklich das Geheimnis. Das Geheimnis wird zum Baby.

Sie haben in neun Monaten viel Zeit, eine Beziehung zu diesem Phänomen, zu diesem zum Baby gewordenen Geheimnis, zu entwickeln, und schon nach einigen Monaten sind Sie imstande, sich mit dem Baby, das Sie in sich tragen, zu identifizieren. Dazu brauchen Sie innere Ruhe, und es ist eine unschätzbare Hilfe für Sie, wenn Ihr Mann ganz auf Sie eingestellt ist und Sie beide in der Außenwelt vertritt.

Diese besondere Beziehung zwischen Ihnen und dem Baby hört einmal auf, allerdings nicht genau zum Zeitpunkt der Geburt des Kindes. Ich glaube, dieser besondere Zustand hält auch nach der Geburt noch ein paar Wochen an, es sei denn, widrige Umstände [sei es, daß Sie die Entbindungsstation zu früh verlassen oder eine ungeeignete Kinderschwester wegschicken müssen oder Ihr Mann erkranken würde] brächten Sie unsanft in die Normalität des Alltags zurück.

Wenn Sie Glück haben und es keine Komplikationen gibt, kann dieser besondere Zustand also in aller Ruhe zu einem Ende kommen. Und nun beginnen Sie, sich erneut als erwachsene Person in der Welt zu etablieren, und das dauert mehrere Monate. Ihr Kind ist darauf angewiesen, daß Sie dazu fähig sind, obwohl es darunter leidet. Und nun setzt ein heftiges Ringen ein: Das Kind, das nun kein Geheimnis mehr ist, erhebt Anspruch auf alle Ihre Geheimnisse. Obwohl es diesen Kampf nie gewinnen kann, steckt es in einem immerwährenden Goldrausch eine Parzelle nach der anderen ab, aber das Gold, das es findet, wird ihm niemals genügen; es muß immer neue Parzellen abstecken. Auf jeden Fall erlangen Sie Ihren Status als abgegrenztes Individuum zurück, und Ihre Goldminen werden immer unzugänglicher.

Ganz werden Sie sich allerdings nie mehr erholen. Täten Sie das, dann hätten Sie aufgehört, eine Mutter zu sein. Und wenn Sie mehrere Kinder haben, durchlaufen Sie diesen Prozeß natürlich immer wieder, und wenn Sie endlich den Blick wieder frei haben und überlegen können, wo Sie selbst eigentlich stehen, sind Sie 45 Jahre alt.

Es ist ein großes Thema, das ich hier aufgegriffen habe, und mir bleibt Zeit nur noch für *einen* weiteren Gedanken:

Nachdem ich mit unzähligen Müttern gesprochen und ihre Kinder habe aufwachsen sehen, bin ich überzeugt, daß die Mütter, die am besten davonkommen, diejenigen sind, die sich gleich zu Beginn ergeben. Sie verlieren alles. Aber sie gewinnen auch: Sie erholen sich mit der Zeit, sie kommen wieder zu sich, denn die Kinder geben es allmählich auf, ständig neue Parzellen abzustecken, und sind froh, daß ihre Mutter ein Individuum mit eigenen Recht ist, was auch sie sehr schnell werden.

Sie wissen vielleicht, daß Kinder, denen die Grunderfahrungen des Familienlebens (also die Dinge, über die wir gesprochen haben) vorenthalten bleiben, nur allzu leicht ein permanentes Ressentiment empfinden; sie hegen einen Groll gegen etwas, aber da sie nicht wissen, was dieses Etwas ist, bekommt die Allgemeinheit die Last zu spüren. Es sind Menschen, die dann als antisozial bezeichnet werden.

Ich habe durchaus Hoffnung für diese Mütter, die uns beschreiben, wie sie, immer im Kampf mit der Uhr, die Horde ihrer gegen sie anstürmenden Kinder zu bändigen versuchen. Am Ende ist das Schlachtfeld nicht mit Leichen übersät, sondern hier stehen Individuen – keine vernachlässigten Kinder, keine Problemkinder, keine antisozialen Kinder. Diese heranwachsenden Kinder sind vielmehr imstande, ihr Leben selbst in die Hand zu nehmen. Und wenn das so ist, dann können auch Sie, die Mutter, sich wieder ein eigenes Leben leisten. Sie können es sich gestatten, Sie selbst zu sein, mit Ihren Geheimnissen – und das bringt Sie (wenn auch verändert) dorthin zurück, wo Sie standen, bevor Ihre Kinder zum Sturm auf sie ansetzten.

In der letzten Woche habe ich die Sendung ganz allein bestritten und dabei einen bestimmten Aspekt der Schwierigkeiten, die diese Mütter haben, aufgegriffen, weil ich das für wichtig hielt. Mir ist klar, daß Mütter von kleinen Kindern oft müde sind, weil sie nicht genügend Schlaf bekommen; dennoch habe ich nicht darüber gesprochen, sondern über den Verlust der Privatsphäre, den sie erleiden. In dieser Woche wollen wir uns wieder der Diskussion der

Mütter zuwenden. Im folgenden Ausschnitt geht es um die Auseinandersetzungen zwischen Geschwistern, um das, was man auch als familieninterne Fehden bezeichnen könnte, und um die Frage, wie sich diese Fehden auf die Nerven der Mutter auswirken.

### DIE MÜTTER

»Ich finde, sie streiten zuviel. Und ich frage mich wirklich, warum. Man könnte meinen, sie wären die erbittertsten Feinde und nicht Geschwister, die sich im Grunde doch mögen. Sie streiten und schreien, und dabei glaube ich, daß sie sich eigentlich sehr gern haben. Gegen Außenstehende schließen sie sich doch zusammen und verteidigen einander, und wenn eines krank ist, dann bringen sie ihm etwas ans Bett – aber streiten tun sie von morgens bis abends. Es geht mir einfach auf die Nerven, wenn ich dazukomme und höre: ›Das warst *du*.‹ ›Stimmt ja gar nicht!‹ ›*Doch* warst du's.‹ ›Das mach' ich *nicht*!‹ ›Doch machst du's!‹ ›Ich kann dich nicht ausstehen.‹ Und dann knallen die Türen, oder sie geraten aneinander, und ich renne hin und versuche, sie zu trennen. Diese Streitereien sind einfach fürchterlich.«

»Anscheinend müssen sie ihre Energien irgendwie loswerden.«

»Ja, das glaube ich auch, aber es macht einen verrückt.«

»Einer Mutter geht es furchtbar auf die Nerven. Ich erinnere mich, daß es bei uns genauso war. Meine jüngere Schwester und ich haben uns immer gezankt... Und ich habe meine Mutter richtig fertiggemacht.«

»Ja, für Mütter ist es einfach zermürbend. Und dabei ist es ja gar kein wirklich großes Problem. Mit den großen Sachen kann man, glaube ich, immer fertigwerden, weil die ja nicht ständig vorkommen... Man kann mal in eine Krise geraten... (Stimmengewirr)... Es sind die kleinen Sachen, das, was jeden Tag und immer wieder vorkommt, wie der Tropfen auf den Stein..... tropf, tropf, tropf.«

## D. W. W.

Ja, tropf, tropf, tropf! Und welchen Sinn hat das? Ich sage
Ihnen: Das hat einen Sinn. Letzte Woche habe ich Ihnen
gesagt, daß meiner Meinung nach jedes Kind einen unmittelbaren Anspruch stellt – das, was da ist, wird von ihm in
Besitz genommen –, und heute möchte ich hinzufügen:
Wenn irgend etwas da ist und von den Kindern gefunden
wird, dann nehmen sie es und gebrauchen es für ihre
Zwecke. Da gibt es kein Pardon, keine Gnade und keine
halben Sachen. Sie gehen nicht zimperlich mit der Mutter
um. Die Quelle ihrer Energien wird gefunden und ange-
zapft, und das immer und immer wieder bis zum Gehtnichtmehr. Ihre wichtigste Aufgabe ist zu überleben. Bis zum
Gehtnichtmehr – das werden Sie so gleich noch einmal
hören.

### DIE MÜTTER

»Bei uns gibt es Gute-Nacht-Geschichten, die mir wirklich
auf die Nerven gehen, weil ich sie jeden Abend erzählen
muß – da führt kein Weg dran vorbei. Und wenn wir abends
mal ausgehen wollen, dann merken sie es bestimmt...«
»O ja, sowas merken sie.«
»Sie können eine eingefahrene Gewohnheit nicht aufgeben. Nein, das muß nun mal so sein, jeden Abend, ob Sie
krank oder gesund oder tot oder halbtot sind. Zwei von
diesen fürchterlichen Geschichten müssen sein, und ich
finde, das ist manchmal wirklich...« (Stimmengewirr)
»Also, ich könnte dieses Geschichtenbuch, so wie es ist,
nehmen und zerreißen.«

»... und zerreißen.« Ich könnte mir vorstellen, daß einige Zuhörerinnen froh sind, daß solche Dinge einmal ausgesprochen werden. Und doch werden diese Geschichten immer wieder und mit allen Details erzählt, und die Kinder werden dieses vertraute Gelände, das sie ganz genau kennen und in dem es keine Überraschungen gibt, auch weiterhin brauchen. Eben diese Gewißheit, daß es dort keine Überraschungen gibt, schafft eine friedliche Atmosphäre und bereitet das Einschlafen vor.

Der nächste Ausschnitt aus der Diskussion behandelt die weniger erfreulichen Dinge, die Zeiten, in denen ein Kind, das sich im allgemeinen gut entwickelt, aus irgendeinem Grund regrediert, sich nichts sagen läßt oder offen gegen die Mutter rebelliert. In diesem speziellen Fall geht ein kleines Mädchen mit seiner Eifersucht auf das Baby in der Weise um, daß es selbst wieder zum Baby wird.

### DIE MÜTTER

»Meine größere Tochter konnte sich schon seit – o, seit neun Monaten selbst anziehen, und jetzt will sie das auf einmal nicht mehr. Dabei kann sie es ganz prima! Mit Reißverschlüssen und Knöpfen auf dem Rücken wird sie noch nicht fertig, aber die Knöpfe vorn, die kann sie zumachen. Aber jetzt sagt sie «nein», tut, als wäre sie ein Baby, und klettert auf meinem Schoß 'rum wie die Kleine – ja, und jetzt ist es so, daß ich sie morgens beide anziehen und abends beide ausziehen muß.«

»Ach du liebe Zeit – ich kann mir schon vorstellen, wie das sein wird, wenn sie sich erst mal selbst anziehen. Bis jetzt ist das für mich noch kein Problem, denn er kann es tatsächlich noch nicht, aber ich weiß jetzt schon, daß das ganz schön aufreibend für mich sein wird... wenn ich zusehen muß, wie er die Sachen langsam und natürlich falschherum anzieht ... (Stimmengewirr) ... denn ich kann einfach nicht – ich werde gern schnell fertig.«

## D. W. W.

Das ist auch so etwas, was für die Mutter ausgesprochen lästig sein kann – daß sie sich an den Rhythmus des Kindes anpassen muß. Manche Kinder haben ein langsameres Temperament als die Mutter, und andere sind schneller. Das ist schon sehr schwierig für die Mutter, sich da immer anzupassen und mal schneller, mal langsamer zu machen. Besonders lästig ist es, wenn sie zu den Schnellen gehört und das Kind extrem langsam ist. Wenn Mutter und Kind in diesem Punkt überhaupt nicht zusammenpassen, dann verliert das Kind allmählich die Fähigkeit zum Handeln, es wird apathisch und überläßt die Dinge mehr und mehr der Mutter oder dem Kindermädchen. Und für ein Kind ist es, wie Sie sich vorstellen können, genauso schlimm, wenn es selber schnell ist und die Mutter eher zu den Langsamen gehört. Die Mutter ist vielleicht auch nur deshalb langsam, weil sie gerade ein Stimmungstief hat, aber das Kind kann natürlich nicht wissen und nicht einsehen, warum. Manches läßt sich zweifellos durch geschicktes Planen auffangen, aber kleine Kinder können die schönste Planung über den Haufen werfen, weil sie die Notwendigkeit nicht einsehen. Sie leben in der Gegenwart. Im nächsten Gesprächsausschnitt geht es um das Planen:

### DIE MÜTTER

»Daß man nie Zeit hat, liegt zum Teil auch daran, daß es so ewig dauert, bis man soweit ist, daß man ausgehen kann – man muß den Nachmittag ja so planen, daß man das Baby um zwei Uhr noch füttern kann, und um sechs ist es dann schon wieder Zeit für die Flasche. Das Einkaufen ist für mich das größte Problem. Ich kaufe nämlich auf einem Markt, wo es sehr billig ist, aber dafür habe ich einen weiten Weg dorthin. Es ist ein richtiges Drama, bis man zwei Kinder, die beide noch gefüttert werden müssen – das eine mit der Flasche und das andere mit dem Löffel – angezogen und fertig hat. Dann schläft das eine noch mal, und damit wird es noch später. Und dann rennt man herum wie verrückt und versucht, rechtzeitig wieder zu Hause zu sein, weil dann ja schon wieder das Fläschchen dran ist. Es gibt ja auch noch andere Dinge; manchmal ist man zum Tee eingeladen ... Oder heute nachmittag – bis wir bloß erst mal fertig waren! Ich brauche für uns drei ungefähr eine Stunde, bis wir losgehen können.«

»Ja, das ist furchtbar.«

»Und bis man dann selbst fertig ist, haben die beiden sich schon wieder ... «

»Ja, bis dahin haben sie es womöglich fertiggebracht, sich schon wieder schmutzig zu machen. «

»Man muß es wirklich planen, man muß sich die günstigste Zeit vornehmen.«

»Diese kleinen Sachen, die sind ja wohl das Schlimmste überhaupt – ich glaube, die gehen einem am meisten auf die Nerven.«

»Andererseits, ich meine – ich liebe meine Kinder doch. Sie nerven mich ja nicht ständig, aber diese Kleinigkeiten, die sind es ...«

»Was mich wirklich nervt, das ist die nächste Mahlzeit – was ich ihnen machen soll – womöglich für jeden etwas anderes.«

»Planen Sie die Mahlzeiten lange im voraus?«

»O nein. Ich bin keine Planerin. Irgend etwas hat man ja immer da ... (Gelächter) Wenn die Essenszeit näher kommt, findet sich schon irgend etwas. Wissen Sie, ich kaufe einmal in der Woche ein, dann habe ich genug im Haus. Aber wann und wie ich es verbrauche, das entscheidet sich immer erst sehr spät.«

»Ach, mit dem Mittagessen habe ich Glück. Christopher

ißt nämlich am allerliebsten Gehacktes. Ich selbst kann's
schon nicht mehr sehen.« (Gelächter)
»Ja, manchmal sind ihre Vorlieben ja wirklich sehr begrenzt. Das macht es einfach ...«
»O ja, sehr einfach.«

## D. W. W.

Hier kommt doch etwas Optimismus auf. Trotzdem: Die
Mutter plant, sie organisiert ihre Arbeit, soweit das möglich
ist, und trotzdem gelingt es ihr nicht immer, alles unter
einen Hut zu bringen: die Bedürfnisse der Kinder, das
Diktat der Uhr, die Entfernung zwischen Wohnung und
Lebensmittelladen – und schließlich ist da die Tatsache, daß
ihre Kräfte begrenzt sind. Am Ende sehen wir wieder eine
Mutter vor uns, die sich abmüht, sowohl den Kindern mit
deren verschiedenen Bedürfnissen als auch der Außenwelt,
wie sie nun einmal ist, gerecht zu werden.

### DIE MÜTTER

» ... Mich macht es zum Beispiel auch sehr nervös, wenn ich
die Hausarbeit unterbrechen muß, das Staubsaugen oder
sonst etwas. Ich könnte doch in zehn Minuten mit dem
Zimmer fertig sein, wenn sie mich nur ließen. Aber dann
kommt einer an und sagt: ›Ich muß auf den Topf‹, und dann
sitzt und sitzt er, und man steht daneben. Man muß dabei-
bleiben und ...«
»Ja, weggehen und inzwischen etwas anderes machen –
das geht nicht.«
»Und er macht natürlich ein Spiel daraus.« (Gelächter)
»Ja, und dann kocht etwas über, und außerdem haben Sie
den Staubsauger angelassen, weil Sie natürlich dachten, es
geht nur eine Minute ...«
»Ich finde es auch schrecklich, wenn ich ständig unterbro-

chen werde. Ich höre irgendwo einen Schrei und muß alles stehen und liegen lassen, ob ich nun gerade koche oder Mehl an den Händen habe oder sonstwas, und aus der Küche rennen und nachsehen, was los ist.«

»Also, wenn ich Mehlhände habe, dann sage ich: ›Du wirst doch wohl nicht wollen, daß ich mit diesen Händen irgend etwas anfasse, oder?‹

»Und das klappt?«

»Ja. Ich sage dann: ›Ich mache es später!‹ Ich muß zugeben, ich mache das sehr häufig so. Oder wenn wir irgendwohin unterwegs sind und es plötzlich heißt: ›O, wir haben das und das vergessen!‹ Eigentlich wollte sie nämlich ihre Puppe oder den Einkaufskorb mitnehmen. Dann sage ich: ›Ja natürlich, dann mußt du ihn eben das nächste Mal mitnehmen!‹ Das ist in dem Augenblick dann wie ein Traum.«


## D. W. W.

Es gibt eine Grenze auch in bezug auf die Forderungen, die ein Kind an seine Mutter stellen darf, und diese Grenze muß, je älter das Kind wird, immer deutlicher definiert werden. Wer soll diese Grenze setzen? Stück für Stück wird die Mutter herausfinden, daß sie sich wenigstens in einem gewissen Umfang zur Wehr setzen kann.


## Die Mütter

»Es hängt auch sehr viel davon ab, wie man geschlafen hat.« (Gelächter)

»Ich hatte sehr schlecht geschlafen und war an diesem Tag wirklich wütend auf ihn, und sobald er auch nur anfing, mich zu ärgern, bin ich leider gleich in die Luft gegangen.«

»Und wenn Sie in die Luft gehen – wird es dann schlimmer?«

»Nein. Ich glaube, er spürt dann, daß ich wirklich am

Ende bin und daß er sich besser nicht mehr muckst. Erstaunlicherweise funktioniert das dann auch.«

## D. W. W.

Ich glaube, am Ende ist es dann doch der Vater, der sich vor seine Frau stellen muß. Auch er hat ja seine Rechte. Nicht nur, daß er möchte, daß auch seine Frau wieder zu ihrem Recht kommt und in ihr eigenes Leben zurückkehrt – er will sie auch für sich haben, selbst wenn das gelegentlich bedeutet, daß die Kinder ausgeschlossen werden. Er wird also irgendwann einmal ein Machtwort sprechen, und damit bin ich wieder bei einem Thema, das ich vor einigen Wochen hier behandelt habe, nämlich beim »Nein«-Sagen. Ich sagte damals unter anderem, daß der Vater zu einer bedeutsamen Person für das kleine Kind wird, gerade weil er gelegentlich energisch wird – vorausgesetzt, er hat sich zunächst das Recht erworben, energisch zu werden, indem er auf freundliche Weise zugegen ist.

Ja, nervenaufreibend kann das Leben mit kleinen Kindern schon sein. Andererseits ist strenge Reglementierung eines sehr kleinen Kindes für eine Mutter die schlimmste Vorstellung überhaupt. Ich glaube, es wird auch in Zukunft so sein, daß Kinder ihren Müttern auf die Nerven gehen und Mütter froh und glücklich sind, Opfer ihrer Kinder sein zu dürfen.

(1960)

# 7
# Sicherheit

Wann immer versucht wird, die grundlegenden Bedürfnisse von Kindern und Kleinkindern zu definieren, heißt es: »Kinder brauchen vor allem Sicherheit.« Manchmal erscheint uns das einleuchtend, dann wieder kommen uns Zweifel: Was bedeutet eigentlich das Wort ›Sicherheit‹? Es ist richtig, daß unzuverlässige Eltern ihre Kinder verunsichern und verschrecken; aber auch Eltern, die ihre Kinder ängstlich vor allem und jedem bewahren wollen, richten Schaden an. Offensichtlich können Eltern also auch ein Zuviel an Sicherheit bieten – und doch wissen wir, daß Sicherheit für Kinder unerläßlich ist. Wie können wir das Angemessene herausfinden?

Eltern, denen es gelingt, die Familie zusammenzuhalten, leisten damit etwas, das für ihre Kinder von immenser Bedeutung ist. Fällt die Familie auseinander, dann sind immer die Kinder die Leidtragenden. Aber wenn einfach nur gesagt wird, Kinder brauchen Sicherheit, dann hat man das Gefühl, daß an dieser Feststellung etwas fehlt. Für Kinder ist Sicherheit so etwas wie eine Herausforderung – eine Herausforderung zu zeigen, daß sie ausbrechen können. Der Gedanke, daß Sicherheit etwas Gutes ist, würde, extrem ausgelegt, bedeuten, daß ein Gefängnis der geeignete Ort wäre, um aufzuwachsen. Das wäre freilich absurd. Natürlich ist Freiheit des Geistes überall möglich, selbst im Gefängnis. Der Dichter Lovelace schreibt:

*Stone walls do not a prison make*
*Nor iron bars a cage.**

---

* Steinerne Mauern machen noch kein Gefängnis/Und Eisenstangen keinen Käfig.

Er will damit sagen, daß Freiheit nicht notwendig endet, wenn man im Wortsinn festgehalten wird. Aber der Mensch muß frei leben, damit auch seine Phantasie leben kann. Freiheit ist ein elementares Gut, das die besten Seiten des Menschen zur Entfaltung bringt. Nichtsdestoweniger müssen wir zur Kenntnis nehmen, daß es Menschen gibt, die nicht in Freiheit leben können, weil sie sich selbst und die Welt fürchten.

Um uns das alles verständlich zu machen, müssen wir die Entwicklung des Individuums von der frühesten Kindheit bis ins Erwachsenenleben bedenken und auch danach fragen, was dieser individuelle Mensch von seiner Umgebung braucht, um sich zu entfalten. Es ist zweifellos ein Zeichen einer gesunden Entwicklung, wenn ein Kind mit der Freiheit, die ihm zunehmend gewährt wird, etwas anfangen kann. Was wollen wir mit unserer Erziehung erreichen? Wir hoffen, daß das Kind mit der Zeit ein Gefühl der Sicherheit erwirbt. In dem Kind muß sich ein Glaube an etwas entwickeln, das nicht nur gut, sondern auch verläßlich und dauerhaft ist und das überlebt, auch wenn es beschädigt oder der Zerstörung preisgegeben ist. Die Frage ist, wie dieser Prozeß verläuft, durch den sich das Gefühl der Sicherheit entwickelt. Was führt zu diesem befriedigenden Zustand hin, in dem das Kind den Menschen und Dingen in seiner Umgebung vertraut? Was bringt jene Eigenschaft hervor, die wir Selbstvertrauen nennen? Kommt es dabei eher auf einen angeborenen, subjektiven Faktor an oder auf Belehrung und Führung? Braucht das Kind ein Vorbild, das nachzuahmen wäre? Muß die äußere Umgebung etwas beisteuern, um die erwünschte Wirkung hervorzubringen?

Wir könnten uns jetzt die Stadien der emotionalen Entwicklung vor Augen rufen, die jedes Kind durchlaufen muß, um zu einem gesunden erwachsenen Menschen zu werden. Das würde uns viel Zeit kosten, aber es wäre möglich. Wir würden dabei über die angeborenen Wachstumsprozesse und den naturgemäß sehr komplexen Weg sprechen, an dessen Ende schließlich die eigenverantwortliche Persönlichkeit steht. Hier möchte ich allerdings eher über den Beitrag der Umgebung sprechen, über die Rolle, die wir selber spielen, und über die Rolle, die die Gesellschaft uns gegenüber spielt. Es ist die Umgebung, die es dem Kind ermöglicht, sich zu entfalten, und ohne eine entsprechend zuverlässige Umgebung kann das Kind sich nicht entfalten, oder sein Wachstum wird gestört. Und da keine zwei Kinder einander vollkommen gleichen, müssen wir uns in jedem Fall den Bedürfnissen des individuellen Kindes anpassen. Das heißt, wer ein Kind betreut und versorgt, muß es auch kennen und mit ihm auf der Grundlage einer persönlichen lebendigen Beziehung umgehen, nicht auf der Grundlage theoretischen und mechanisch angewandten Wissens. Mit unserer zuverlässigen Präsenz und Berechenbarkeit schaffen wir eine stabile, dabei aber nicht starre, sondern lebendige und menschliche Atmosphäre, und das gibt dem Kind Sicherheit. Vor diesem Hintergrund kann es sich entfalten, und diese Atmosphäre kann es in sich aufnehmen und nachahmen.

Wenn wir dem Kind Sicherheit bieten, tun wir zwei Dinge zugleich: Zum einen schützen wir es vor unerwarteten Geschehnissen, vor unwillkommener Einmischung von außen und vor einer Welt, die ihm noch unbekannt ist oder die es noch nicht versteht. Zum anderen schützen wir das Kind auch vor seinen eigenen Impulsen und vor den möglichen Auswirkungen dieser Impulse. Ich brauche Sie kaum daran zu erinnern, daß sehr kleine Kinder rundum betreut werden müssen und auf sich gestellt nicht existieren könnten. Sie müssen gehalten, hier- und dorthin gebracht, saubergemacht und gefüttert werden, sie brauchen die richtige Temperatur und müssen vor Lärm und Zugluft geschützt werden. Wir müssen auf ihre Impulse eingehen und fähig sein, ihre Spontaneität zu verstehen. Das ist in diesem frühen Stadium nicht weiter schwierig, denn in der Regel hat das kleine Kind eine Mutter, die sich zu dieser Zeit fast ausschließlich um seine Bedürfnisse kümmert. Auf dieser Stufe ist das Kind sicher. Wenn die Mutter ihre Aufgabe in diesem frühen Stadium gut erfüllt, dann werden die Schwierigkeiten des Kindes nicht als Übergriffe seitens der Außenwelt erfahren, sondern es werden die Schwierigkeiten sein, die das Leben in jedem Fall mit sich bringt und die eine Folge der Konflikte sind, die lebendige Gefühle immer verursachen. Unter den bestmöglichen Umständen wird das hinreichend gut betreute Kind – das Kind, das sich sicher fühlt – sich also auf ein persönliches und individuelles Leben einlassen.

Kleine Kinder sind schon sehr bald fähig, sich zu wehren, wenn sie sich unsicher fühlen. In den ersten Lebenswochen und –monaten ist ihre Persönlichkeit aber erst schwach ausgebildet, und wenn unglückliche Umstände eintreten und sie keine Unterstützung erfahren, kann ihre Entwicklung eine falsche Richtung nehmen. Ein Kind, das Sicherheitsgefühle schon frühzeitig erlebt hat, wird die Erwartung entwickeln, daß man es nicht im Stich lassen wird. Frustrationen – nun ja, die sind unvermeidlich; aber im Stich gelassen werden – nein! All das ist ziemlich offensichtlich.

Was uns hier interessiert, ist die Frage: Was geschieht, wenn sich allmählich ein Gefühl der Sicherheit ausbildet? Dazu möchte ich folgendes sagen: Jetzt kommt ein einziger langer Kampf *gegen* die Sicherheit, die die Umgebung bietet. Nachdem die Mutter das Kind anfangs vor der Außenwelt beschützt hat, läßt sie diese nun allmählich in sein Leben herein, und das Kind nimmt begierig jede neue Gelegenheit zur ungehinderten Äußerung und impulsiven Handlung wahr. Dieses Anrennen gegen die Sicherheit und gegen die Kontrolle hält die ganze Kindheit hindurch an, wobei die Kontrolle weiterhin notwendig ist. Die Eltern sind auch weiterhin da – mit ihren Regeln und Vorschriften, die dem Kind einen sicheren Rahmen bieten – mit den »steinernen Mauern« und den »Eisenstäben« –, aber da sie wissen, wie Kinder sind, und da ihnen an der Entwicklung ihres Kindes als Persönlichkeit gelegen ist, ist es ihnen recht, wenn das Kind rebelliert. Sie fungieren als Hüter des Friedens, aber sie rechnen mit Übertretungen, ja mit Revolution. Glücklicherweise ist es in den meisten Fällen so, daß sowohl das Kind als auch die Eltern ein Ventil in der Phantasie, im Spiel und in kulturellen Erfahrungen finden. Gesunde Kinder lernen mit der Zeit, sich ein Gefühl von Sicherheit auch angesichts manifester Verunsicherungen zu bewahren, so zum Beispiel dann, wenn die Mutter oder der Vater krank wird oder stirbt oder wenn die Familie auseinanderbricht.

Kinder müssen sich immer wieder von neuem vergewissern, ob sie sich auf ihre Eltern verlassen können. Sie tun das vielleicht selbst dann noch, wenn sie bereits in der Lage sind, ihren eigenen Kindern ein sicheres Umfeld zu bieten. Heranwachsende pflegen alle Sicherheitsmaßnahmen der Eltern, alle Regeln und Gebote auf die Probe zu stellen. Sie gehen in der Regel also von einem grundlegenden Gefühl der Sicherheit aus; sie glauben an die gute frühe Betreuung durch Mutter und Vater, weil sie sie erfahren haben. Sie tragen das Gefühl von Sicherheit in sich, und dieses Gefühl wird fortwährend bestärkt, indem sie ihre Eltern, Angehörigen, Lehrer, Freunde und alle möglichen anderen Leute auf die Probe stellen. Nachdem sie festgestellt haben, daß die Schlösser und Riegel gut gesichert sind, machen sie sich daran, sie aufzubrechen; sie brechen aus, wieder und wieder. Im anderen Fall verkriechen sie sich ins Bett, hören schwermütigen Jazz und fühlen sich nutzlos und überflüssig.

Warum stellen gerade Heranwachsende die Erwachsenen in dieser Weise auf die Probe? Wohl deshalb, weil sie erschreckende neue, starke Gefühle bei sich entdecken und sich vergewissern wollen, daß die äußeren Kontrollen noch da sind. Zugleich müssen sie aber beweisen, daß sie diese Kontrollen durchbrechen und sich als Personen aus eigenem Recht etablieren können. Gesunde Kinder brauchen Menschen, die die Kontrolle bewahren, aber die Regeln müssen von Personen aufgestellt werden, die sie zugleich lieben und hassen, denen sie Trotz bieten und auf die sie sich verlassen können; mechanische Kontrollen taugen nichts, und Furcht ist kein gutes Motiv, sich zu fügen. Immer ist es eine lebendige Beziehung, die den Raum schafft, den wir zum

Wachstum brauchen. Wirkliches Wachstum führt am Ende zu einem reifen Verantwortungsgefühl und zu dem Gefühl der Verpflichtung, auch den Kindern der nachfolgenden Generation diese Sicherheit zu bieten.

Spiegelt sich all dies nicht auch in der schöpferischen Arbeit von Künstlern? Die Künstler tun etwas sehr Wertvolles für uns: Sie erschaffen ständig neue Formen, nur um sie zu zerbrechen und daraus Neues zu schaffen. Sie ermöglichen es uns, lebendig zu bleiben, während die Erfahrungen des alltäglichen Lebens unser Gefühl, wirklich lebendig und in lebendiger Weise wirklich zu sein, oft zu zerstören drohen. Von allen Menschen erinnern uns die Künstler am überzeugendsten daran, daß der Kampf zwischen unseren Trieben und dem Gefühl der Sicherheit (die beide lebenswichtig sind) ein ewiger Kampf ist, der sich in jedem einzelnen Menschen abspielt, solange er am Leben ist.

Unter gesunden Bedingungen entwickeln Kinder also genügend Selbstvertrauen und genügend Vertrauen in andere Menschen, um äußere Kontrollen jeder Art zu verabscheuen; aus der einstigen Kontrolle ist Selbstkontrolle geworden. Selbstkontrolle bedeutet, daß der Konflikt schon im voraus im Innern durchgearbeitet worden ist. Ich sehe das Ganze also so: Gute Bedingungen in den frühen Lebensphasen führen zu einem Gefühl der Sicherheit, Sicherheit führt zur Selbstkontrolle, und wenn ein Mensch Selbstkontrolle erreicht hat, dann ist Sicherheit, die ihm aufgezwungen wird, eine Beleidigung.

(1960)

# 8
# Schuldgefühle

Claire Rayner*: Als meine Tochter ein paar Wochen alt war, rief mich eines Tages eine angebliche Mitarbeiterin der NSPCC (*National Society for the Prevention of Cruelty to Children*, eine Art Kinderschutzbund) an. In Wahrheit war es eine Verwandte von mir, die mit verstellter Stimme sprach. Sie hatte sich einen ähnlichen Spaß schon mehrfach erlaubt und sich am Telefon als eine andere Person ausgegeben, und ich hatte das Spiel bisher immer durchschaut. Dieses Mal aber fiel ich seltsamerweise darauf herein und registrierte sogleich ein schreckliches Schuldgefühl. Was um Gottes willen hatte ich getan, das diesen Anruf provoziert hatte? Später erschien mir meine Reaktion sehr interessant. Ich brauchte einige Zeit, um die Sache zu verarbeiten – genauer gesagt, den ganzen Tag. Das häßliche Gefühl, etwas getan zu haben, was ich nicht hätte tun sollen, wollte einfach nicht weichen.

D. W. W.: Ja, das kann ich mir denken. Aber abgesehen von diesem Schuldgefühl ist da ja noch etwas anderes: Da ist plötzlich etwas zu Ihnen hereingedrungen, zu einem Zeitpunkt, als Sie noch nicht wirklich wieder in die Welt zurückgekehrt waren. Ich will damit sagen, daß Sie kurz vor der Geburt eines Babys und noch eine Weile danach eine ziemlich geschützte Position in der Welt innehaben und mit dieser Art von Ereignissen nicht rechnen. Haben Mütter in dieser Zeit nicht auch bei anderen Dingen, bei einem lauten Krach oder irgend etwas anderem Unerwarteten solche Gefühle und fühlen sich einfach schrecklich dabei?

---

* Claire Rayner, gelernte Krankenschwester, ist eine bekannte Rundfunk- und Fernsehautorin und hat zahlreiche Bücher zu den Themen Kinderbetreuung und Gesundheit verfaßt.

C. R.: Doch, ja, das ist schon richtig. Aber in diesem Fall war es eindeutig ein Schuldgefühl. Es gibt ja so vieles, was einem Furcht einflößt, nicht wahr? Wenn Sie es irgendwo furchtbar krachen hören, stellt sich eine bestimmte Art von Furcht ein, und dann gibt es die andere Art von Furcht, die vorausahnende Furcht, daß irgend etwas Schreckliches passieren wird. Diese Furcht haben Sie zum Beispiel, wenn Sie zum Zahnarzt gehen. Aber das da, das war die Furcht, die mit Schuldgefühlen zu tun hat. Ich hatte etwas Schlimmes getan, und man würde mich dafür belangen; so etwa fühlte ich mich. Als hätte man mich bei einem Verbrechen ertappt.

D. W. W.: Ja, ich verstehe, was Sie meinen, und ich möchte gerne mit Ihnen darüber sprechen, denn es ist etwas, das mich schon immer sehr interessiert hat: Wenn ich als Beobachter oder als Psychologe mit Müttern und Vätern über ihre Kinder spreche, dann stelle ich fest, daß ich noch so vorsichtig sein kann und doch immer Gefahr laufe, ihnen Schuldgefühle einzuflößen. Ich gebe mir die größte Mühe, mich so auszudrücken, daß es nicht nach Kritik klingt, sondern als ein Versuch verstanden wird, die Dinge zu erklären, anstatt zu sagen, dieses oder jenes sei falsch usw. Und doch kommen die Leute ständig und sagen: ›Immer wenn ich Sie reden höre oder wenn ich etwas von Ihnen lese, fühle ich mich schlecht.‹ Deshalb interessiert mich diese Sache sehr.

C. R.: Ja, das ist auch eine Art von Schuldgefühl. Jemand liest einen Artikel oder ein Buch, in dem steht, daß man dies und das tun solle, und fühlt sich sofort schuldig, weil er es *gerade nicht* getan hat. Aber es gibt noch andere Reaktionen. Ich kenne eine junge Frau, die meiner Meinung nach nie irgendeinen Artikel dieser Art gelesen hat und die, nachdem ihr Kind geboren war, einen Putzzwang entwickelte. Bis dahin war sie eine ganz normale Hausfrau gewesen, aber nun, mit dem Kind, putzte und schrubbte sie alles, womit es auch nur von ferne in Berührung kommen konnte. Sie zog das Kind drei- oder viermal am Tag frisch an und konnte es nicht ertragen, wenn es sich bekleckerte oder irgendwie

111

schmutzig machte. Solange es noch ganz klein war, beschränkte sich ihr Putzzwang auf den Kinderwagen, das Bettchen und das Kinderzimmer. Aber jetzt, wo er anfängt zu krabbeln, hat sich diese Sache, dieser Putztic, auch auf die anderen Räume ausgedehnt, in denen er herumkriecht. Der Wohnzimmerteppich zum Beispiel wird einmal in der Woche schamponiert und geschrubbt. In meinen Augen ist das verrückt, und ich werde das Gefühl nicht los, daß sie das alles tut, weil sie sich wegen irgend etwas schuldig fühlt. Ich weiß nicht, ob Sie das auch so sehen?

D. W. W.: Ja, ich halte das tatsächlich für ein sehr gutes und zugleich sehr extremes Beispiel, weil es nämlich den Gedanken einführt, daß ein Mensch sich schuldig fühlen kann, ohne es zu wissen. So extrem, wie dieser Fall liegt, würden die meisten Beobachter wohl zu dem Schluß kommen, daß diese Mutter fürchtet, daß sie ... daß dem Kind irgendeine Gefahr droht und daß sie tun muß, was sie nur irgend kann. Aber ich glaube nicht, daß sie das weiß. Sie weiß nur, daß ihr schrecklich zumute ist, wenn sie nicht ständig putzt, und wahrscheinlich ist ihr sogar während dieses ständigen Putzens schrecklich zumute. Ich glaube, man kann dieses Phänomen, daß ein Mensch, ohne es zu wissen, unter dem Einfluß eines Schuldgefühls handelt, auf sehr verschiedene Weise betrachten. Aber am anderen Ende des Spektrums steht nach wie vor jenes allgemeine und latente Schuldgefühl, das uns, glaube ich, wohl vor allem interessiert.

C. R.: Ja, darüber habe ich lange nachgedacht. Und da frage ich mich immer wieder, ob es nicht in vielen Fällen von Eifersucht herrührt, von Eifersucht zwischen Mutter und Kind. Entschuldigen Sie, wenn ich Sie noch einmal mit meinem eigenen Fall langweile: Nach der Geburt meiner Tochter, als wir schon wieder zu Hause waren, stellte ich fest, daß ich eifersüchtig auf sie war, was das Verhältnis zu meinem Mann anging. Ich glaube, ich hatte Angst – was mir damals nicht klar war, was ich aber jetzt, in der Rückschau, sehr wohl erkenne –, sie würde mir einen Teil seiner Aufmerksamkeit stehlen. Ich hatte das Gefühl, daß in unserer

Beziehung eigentlich kein Platz für sie war. Nachdem ich mir darüber – über diese ganz reale Eifersucht – klar geworden war, ging alles gut. In dem Augenblick, in dem ich meine Eifersucht zugeben konnte, verschwand sie ganz einfach, was doch eigentlich interessant ist. Ich wüßte gern, wie viele Mütter so etwas wie Eifersucht empfinden. Wenn sie Töchter haben, welche Rolle spielt dann zum Beispiel der Altersunterschied? Heutzutage sieht man in den Zeitschriften und in der Werbung eigentlich nur junge und schöne Frauen – könnte es nicht sein, daß einer Frau mit einer kleinen Tochter da plötzlich sehr deutlich zum Bewußtsein kommt, daß sie nicht mehr so jung ist, wie sie einmal war, nicht mehr so jung wie dieses Kind, und daß ein Teil ihres Lebens hinter ihr liegt? Hier neben ihr geht das junge Ding, dessen Leben soeben erst beginnt. Kann es nicht sein, daß sie deshalb eifersüchtig ist? Und daß sie wegen dieser Eifersucht Schuldgefühle empfindet? Halten Sie das für möglich?

D. W. W.: Sie haben Ihre eigene Erfahrung soeben sehr offen geschildert. Ich sehe darin eine von vielen Möglichkeiten, warum Leute sich schuldig fühlen, weil sie im Blick auf ihre Kinder auf Gedanken gekommen sind, mit denen sie nicht gerechnet hätten. In Ihrem Fall war es so, daß Sie eifersüchtig waren, weil da die kleine Tochter war und Sie darüber nachdachten, wie ihr Mann wohl auf dieses Mädchen reagieren würde und so weiter. Wenn Sie einen Sohn hätten, wäre es anders. Andere bekommen einen Sohn und fühlen sich ratlos und gemein, weil sie entdecken, daß sie gar keinen Sohn wollten oder ihn aus irgendeinem Grund nicht gleich von Anfang an so lieben können, wie sie meinen, daß es sein müßte. Jeder hat seine Vorstellung von einem idealen Zustand, in dem alles wunderbar funktioniert und Mutter und Kind einander lieben, einfach so. Und deshalb glaube ich, daß das, was Sie da eben angesprochen haben, nur eine von vielen Möglichkeiten ist. Mütter können sich bei allen möglichen unerwarteten Gefühlen im Zusammenhang mit ihrem Kind ertappen und daraufhin Schuldgefühle entwikkeln und meinen, sie hätten das Kind lieber nicht bekommen sollen. Es könnte auch sein, daß eine Mutter ihr Kind auf die schönste und natürlichste Weise liebt und daß sie sich gerade deshalb schrecklich fühlt, weil sie daran denken muß, daß ihre eigene Mutter sie *nicht* in dieser Weise geliebt hat, und deshalb das Gefühl hat, sie präsentiere ihrer Mutter ein Beispiel, wie es hätte sein sollen. Ich erinnere mich an ein kleines Mädchen, das auf dem Fußboden saß und ganz schrecklich lieb zu seiner Puppe war. Es war klar, daß dieses Kind seiner Mutter zeigte, für was für eine gräßliche Mutter es sie im Augenblick hielt. Mit anderen Worten, ich glaube, daß es unendlich viele Gründe dafür gibt, weshalb man im Blick auf ein neugeborenes Kind unerwartete Gefühle und Emotionen haben kann. (C. R.: Ja.) Trotzdem glaube ich, daß es darüber hinaus Dinge gibt, die einfach in der Natur der Sache liegen – Dinge, die über das Individuelle hinaus-gehen, die wir als etwas Universelles bezeichnen könnten – wenn wir sie nur begreifen würden.

C. R.: Ja, dazu ist mir gerade etwas eingefallen: Als ich in der Ausbildung zur Hebamme stand, fiel mir auf, daß die erste Frage der Mütter in vielen Fällen nicht lautete: ›Was ist es?‹, sondern: ›Ist es gesund? Ist es normal?‹ Das hat mich schon damals interessiert; heute interessiert es mich noch viel mehr. Ich frage mich, warum Frauen immer Angst haben, daß mit ihrem Kind etwas nicht stimmen könnte. Es ist ja eine sehr verbreitete Furcht. Daß man etwas produzieren könnte... eine (D. W. W.: Ja) Mißgeburt, ein Wesen, an dem irgend etwas nicht stimmt.

D. W. W.: Ich glaube, diese Furcht ist nicht nur sehr verbrei-tet, sie ist auch sehr normal. Es gibt natürlich Leute – ich weiß, es gibt alle möglichen Arten von Leuten, und das muß auch so sein und ist gut so –, aber manche Leute trennen die Vorstellung vom Kinderhaben in einem erstaunlichen Maß von ihrem tatsächlichen Leben ab. Man kann nicht unbe-dingt sagen, daß das normal sei. Bei den meisten Leuten – wenn sie überhaupt Kinder haben – ist die Phantasie, Kinder zu haben, mit der Vorstellung verbunden, tatsächlich nur eines zu haben – es sind Phantasien aus der Zeit, als sie noch

»Vater-Mutter-Kind« spielten. Das Ganze ist mit einem durchaus unterschiedlichen Maß an Liebe, Haß und Aggression verbunden, vermischt mit Freundlichkeit und allem möglichen anderen, und ich habe den Eindruck, daß es sich dabei um etwas Inhärentes handelt, um etwas, das wir wirklich in jedem Menschen finden können. Auf der rationalen Ebene verstehen die Leute sehr wohl, wie und woher das Kind gekommen ist, aber in ihren Phantasien ist dieses Baby etwas, das sie hervorgebracht haben, und sie haben das Gefühl, daß sie gar nicht fähig sind, etwas Vollkommenes hervorzubringen. Und recht haben sie! Ich möchte damit sagen: Wenn sie versuchen, ein Bild zu malen oder irgendein anderes Kunstwerk hervorzubringen oder auch nur ein Abendessen zuzubereiten, können sie ja auch nicht sicher sein, daß es ihnen rundum gelingt. Aber sie können ein vollkommenes Baby hervorbringen.

C R: Würde das also bedeuten, daß, wenn die Mutter diese Frage stellt und die Antwort lautet, das Baby sei normal, gesund, vollkommen in Ordnung, daß dann ihr Schuldgefühl, das diese Frage ja ausgelöst hat, weg ist – wie weggewaschen?

D. W. W.: Ja, genau das habe ich gemeint; jetzt ist das Baby wieder ein Baby, und die Phantasien sind Phantasien. Wenn aber andererseits irgend etwas mit dem Baby nicht stimmt oder die Hebamme mit der Versicherung, daß alles in Ordnung sei, auch nur einen Augenblick zögert, dann hat die Mutter Gelegenheit, sich alle Phantasien, Befürchtungen und Zweifel im Blick auf das Baby zu vergegenwärtigen, und dann wird sie keine volle Beruhigung erfahren. Und wenn wirklich etwas nicht in Ordnung ist, dann steht ihr eine schlimme Zeit bevor, eine Zeit, in der sie sich dafür verantwortlich fühlt, eben weil sie diesen Zusammenhang zwischen ihren Phantasien und der tatsächlichen Schwangerschaft hergestellt hat. (C. R.: Ja.) Mit dem Baby in ihrem Körper. In Wahrheit zwei ganz separate Dinge, die aber nicht so leicht voneinander zu trennen sind, falls sich herausstellt, daß das Baby nicht ganz normal ist.

C. R.:: Ja, ich verstehe.

DWW: Und andererseits würde ich sagen, daß das Baby, wenn es sich als völlig normal herausstellt, kaum so gut ist wie das Baby in ihrer Phantasie.

C. R.: Ja. Ich frage mich aber doch, warum diese Schuldgefühle so verbreitet sind. Sie müssen doch zu etwas gut sein. Schuldgefühl als solches ist ja wohl nichts Verkehrtes, oder? Dient es vielleicht dazu, das Verantwortungsgefühl der Mutter ihrem Kind gegenüber zu stärken?

D. W. W.: Ja. Ich glaube, es ist ganz ähnlich wie – ja, zum Beispiel wie beim Kochen. Leute, die nicht im geringsten an sich zweifeln, sind als Köche sicher nicht besonders interessant. Oder zum Beispiel vor einer Party: Da ist doch fast jeder ein bißchen gestreßt, weil ja irgend etwas schief gehen könnte, und selbstverständlich wird viel zuviel Essen vorbereitet aus Angst, es könnte nicht reichen, und so weiter; das ist doch überall so. Ja, und dann kommen die Gäste, amüsieren sich bestens und essen alles auf – auch das, was eigentlich zuviel ist. Ich glaube, Sie wollen im Grunde sagen, daß die Menschen notwendig an sich zweifeln müssen, um wirklich ein Gefühl der Verantwortung zu entwickeln.

C. R.: Ja. Ja, das meine ich. Wenn man sich im Blick auf das eigene Kind nicht ein bißchen schuldig fühlte, dann würde man es auch nicht so dringend beschützen wollen, oder? Ich meine, wenn man überzeugt wäre, daß immer alles in Ordnung und völlig normal sei und im Grunde nichts schiefgehen könne, und das Kind plötzlich hohes Fieber bekäme, dann würde man sagen: »Ach, da passiert schon nichts; nur keine Sorge. Wozu den Arzt holen? Das ist nicht nötig; es kann doch gar nichts schiefgehen ...«

D. W. W.: Ja, für mich hat das eine ganz praktische Seite. Ich habe sehr viel mit Müttern zu tun, die ihre Kinder ins Krankenhaus bringen, und ich spüre, daß sie sich Sorgen machen. Sie sind um ihr Kind besorgt, und wenn sie es nicht wären, dann hätten sie überhaupt nicht bemerkt, daß das Kind krank ist. (C. R.: Ja.) Häufig kommen Mütter, obwohl das Kind ganz gesund ist, aber sie haben so ein Gefühl – eine

116

Mutter erzählt vielleicht, das Kind sei gestern hingefallen und habe sich am Kopf wehgetan, und sie sagt: »Ich bin nicht ganz sicher, ob er sich nicht etwas getan hat und ob wirklich alles in Ordnung ist.« Ich finde es sehr richtig, daß sie kommt, und meine Aufgabe ist, ihr zu antworten: ›Ja, ich habe ihn untersucht, und es ist alles in Ordnung.‹ In solchen Fällen habe ich den Eindruck, daß ich es mit dem Schuldgefühl der Mutter in bezug auf ihr Kind zu tun habe, und das ist schon in Ordnung – es legt sich wieder, wenn sie ihr Teil getan und der Doktor nachgesehen hat. Und wenn sie nicht gekommen wäre, dann hätte sie die Sache im Auge behalten, sie hätte sich Gedanken gemacht und schließlich festgestellt, daß doch alles in Ordnung war. Aber es ist tatsächlich das Schuldgefühl, das sie so aufmerksam sein läßt (C. R.: Ja) und den Selbstzweifel nährt. Denn es ist ja wahr, es gibt Eltern, die überhaupt keine Antenne für diese Art von Schuldgefühl haben und es nicht einmal bemerken, wenn ihr Kind krank ist.

C. R.: Ja. Und dabei muß es für das Kind sehr angenehm sein, wenn ich es einmal so sagen darf. Ich meine, für ein kleines Kind ist die Welt mit allen ihren Forderungen doch etwas Ungeheures, etwas Überwältigendes. Und eine Mutter, die bereit ist, die Schuld für all das, was nun einmal passiert, auf sich zu nehmen – die Schuld auf sich zu nehmen und das Kind auf diese Weise zu schützen –, eine solche Mutter muß für das Kind sehr angenehm sein. Mutters Schuldgefühl als Puffer gegen die Welt, nicht wahr? Gegen die ganze große Welt.

D. W. W.: Ja. Alles in allem glaube ich, wenn wir uns unsere Eltern aussuchen könnten – was wir ja bekanntlich nicht können –, dann hätten wir lieber eine Mutter, die ein Schuldgefühl empfindet – jedenfalls eine Mutter, die sich verantwortlich fühlt und die sich sagt, daß es vermutlich ihre Schuld ist, wenn etwas schiefgeht. Eine solche Mutter wäre uns lieber als eine Mutter, die die Schuld außerhalb sucht, die ein ganz äußerliches Phänomen verantwortlich macht – und sei es das Gewitter von gestern abend – und selbst keinerlei Verantwortung übernimmt. Ich glaube, von diesen beiden Müttern – und mit Sicherheit handelt es sich um zwei Extreme – hätten wir lieber die Mutter, die sich in hohem Maß verantwortlich fühlt.

# 9
# Wie entwickelt sich das moralische Empfinden?

Manche Leute glauben, daß die Vorstellungen davon, was richtig und was falsch ist, sich ausbilden wie das Laufen und das Sprechen; andere meinen, man müsse einem Kind diese Vorstellungen einpflanzen. Meine Auffassung ist, daß es zwischen diesen beiden Extremen noch etwas anderes gibt, die Möglichkeit nämlich, daß das Empfinden für Gut und Böse sich, wie so vieles andere, auf natürliche Weise einstellt, wenn bestimmte Voraussetzungen in der Umgebung des Kindes gegeben sind. Diese wichtigen Voraussetzungen lassen sich mit einigen wenigen Worten nicht beschreiben; das Wichtigste ist aber, daß die Umgebung vorhersagbar und, jedenfalls am Anfang, den Bedürfnissen des Kindes in hohem Maße angepaßt ist. Die meisten kleinen Kinder finden diese grundlegenden Bedingungen vor.

Ich möchte hier darauf aufmerksam machen, daß die Grundlage unseres moralischen Empfindens in der Erfahrung des kleinen Kindes liegt, wirklich es selbst zu sein, in der Erfahrung der Kontinuität des Seins. Wenn das Kind auf etwas Unvorhergesehenes reagieren muß, wird diese Kontinuität unterbrochen, und die Entwicklung eines Selbst wird gestört. Aber damit gehen wir im Blick auf unsere Frage bereits zu weit zurück. Ich muß mich dem nächsten Entwicklungsstadium zuwenden.

Jedes kleine Kind sammelt eine Fülle ganz persönlicher, ihm lieb gewordener Erfahrungen, die ihm dieses Gefühl der Kontinuität des Seins und das Gefühl eines Selbst vermitteln, eines Selbst, das auch unabhängig von der Mutter sein könnte. Parallel dazu tauchen Befürchtungen auf, die allmählich die Szene beherrschen. Es sind Befürchtungen einer primitiven Art, die auf der Erwartung kruder Formen von Vergeltung beruhen. Das kleine Kind gerät in eine von aggressiven oder destruktiven Impulsen und Vorstellungen bestimmte Erregung, die sich in Geschrei oder in dem Versuch zu beißen äußert, und im Nu scheint die Welt voller beißender Münder, böser Zähne und Klauen und vielfältiger Bedrohungen. Diese kindliche Welt wäre ein Ort des Schreckens, wenn da nicht die beschützende Rolle der Mutter wäre, hinter der diese frühen und schrecklichen Befürchtungen zurücktreten. Die Mutter (und ich vergesse den Vater nicht) verwandelt die Qualität dieser Befürchtungen dadurch, daß sie ein menschliches Wesen ist. Und allmählich wird sie von dem Kind als ein solches erkannt. Statt einer Welt magischer Vergeltungsakte wird dem Kind eine Mutter zuteil, die seine Impulse versteht und darauf eingeht. Aber diese Mutter ist verletzbar und kann wütend werden. Wenn ich das so formuliere, sehen Sie sofort, daß es für das Kind von unendlicher Bedeutung ist, daß die Kräfte der Vergeltung in menschlicher Gestalt erscheinen. Zum einen kennt die Mutter den Unterschied zwischen tatsächlicher Zerstörung und Zerstörungswunsch. Sie sagt: »Au!«, wenn sie gebissen wird. Aber die Erkenntnis, daß das Kind sie aufessen möchte, stört sie nicht im mindesten. Tatsächlich empfindet sie das als ein Kompliment – die einzige Art, wie das Kind ihr seine heftige Liebe zeigen kann. Und zum anderen ist es natürlich nicht so einfach, sie aufzuessen. Sie sagt: »Au!«, was nur bedeutet, daß sie einen kleinen Schmerz gespürt hat. Das Kind kann die Brust verletzen, vor allem wenn seine Zähne sehr früh durchbrechen. Aber die Mutter überlebt, und in ihrem Überleben kann das Kind Beruhigung und Zuversicht finden. Im übrigen wird sie ihm etwas Hartes geben, etwas, das ebenfalls lange überlebt – eine Rassel oder einen Ring etwa –, denn sie weiß, daß es für das Kind eine Erleichterung ist, richtig drauflosbeißen zu können.

Auf diese Weise hat das Kind Gelegenheit, parallel zu seinen impulsiven Handlungen allmählich Gebrauch von seiner Phantasie zu machen, und dieser wichtige Schritt ist

120

ein Ergebnis der gleichbleibenden Haltung und generellen Verläßlichkeit der Mutter. Diese Verläßlichkeit der Umgebung macht auch den nächsten Schritt in der Entwicklung des Kindes möglich. Dieser Schritt ist davon abhängig, daß das Kind nun selbst etwas zum Glück seiner Eltern beitragen kann. Die Mutter ist im richtigen Augenblick zur Stelle und nimmt die an sie gerichteten impulsiven Gesten des Kindes auf, die ihr so viel bedeuten, weil sie wirklich ein Teil des Kindes sind und nicht nur Reaktionen. Es gibt ein reaktives Lächeln, das wenig oder nichts bedeutet, aber es gibt auch jenes andere Lächeln, das hier und da auftaucht und besagt, daß das Kind Liebe zu empfinden vermag und in diesem Augenblick Liebe für die Mutter empfindet. Später spritzt das Kind die Mutter naß, wenn sie es badet, zieht sie am Haar, beißt sie ins Ohrläppchen oder legt die Ärmchen um sie. Oder es macht sein »Geschäft« auf eine besondere Weise und gibt damit zu erkennen, daß es ein Geschenk für die Mutter ist und daß es wertvoll ist. Die Mutter fühlt sich von diesen winzigen Gesten, wenn sie spontan sind, unendlich bestätigt. Deshalb kann das Kind einen weiteren Schritt tun und eine weitere Integration vollbringen: Es kann nun auf neue und ausgeprägtere Weise die Verantwortung für seine Garstigkeit und Destruktivität übernehmen, wie sie in den Augenblicken der Erregung – also im Erleben seiner Instinkte – spürbar werden.

Für das Kind ist der wichtigste Instinkt derjenige, der bei der Nahrungsaufnahme angesprochen wird. Er verbindet sich mit dem Gefühl der Liebe und Zuneigung für die Mutter und dem zärtlichen Spiel. Und die Phantasien vom Aufessen von Mutter und Vater verbinden sich mit der Realität des Essens, verschoben auf das Essen von Nahrungsmitteln. Das Kind kann allmählich die Verantwortung für diesen rücksichtslosen Zerstörungswillen übernehmen, denn es weiß, daß da auch die anderen Gesten sind, die den Impuls, etwas zu geben, anzeigen, und es weiß aus Erfahrung, daß die Mutter da sein wird, wenn ein wirklicher Impuls zu lieben zutage tritt. Auf diese Weise entstehen

Maßstäbe dafür, was sich gut anfühlt und was sich schlecht anfühlt, und schließlich kann das Kind in einem komplizierten Prozeß und dank seiner zunehmenden Fähigkeit, unterschiedliche Erfahrungen zusammenzuhalten (eine Fähigkeit, die wir als Integration bezeichnen), seine Angstgefühle wegen der destruktiven Elemente im Erleben seiner Triebimpulse tolerieren, weil es weiß, daß es Gelegenheit zur Wiederherstellung und Wiedergutmachung haben wird. Wir haben eine Bezeichnung für dieses Tolerieren von Angst: Wir nennen es Schuldgefühl. Wir können beobachten, wie sich dieses Schuldgefühl herausbildet, während das Kind allmählich Vertrauen in die Zuverlässigkeit seiner Umgebung entwickelt. Wir können umgekehrt beobachten, wie diese Fähigkeit, ein Schuldgefühl zu empfinden, allmählich wieder verloren geht, wenn das Kind kein Vertrauen mehr hat und die Umgebung nicht mehr als verläßlich erfährt – zum Beispiel wenn die Mutter abwesend, krank oder allzusehr von anderen Dingen in Anspruch genommen ist.

Wenn das Kind imstande ist, ein Schuldgefühl zu empfinden, mit anderen Worten, wenn es imstande ist, konstruktives Verhalten neben die ängstliche Unruhe zu stellen, die es wegen seiner zerstörerischen Impulse empfindet, dann gelingt es ihm auch, Gut und Böse auseinanderzuhalten. Es übernimmt nicht unmittelbar die moralischen Vorstellungen der Eltern, sondern hier entsteht ein neues und eigenes moralisches Empfinden, wie es in jedem neuen Individuum entstehen sollte. Das Gefühl, etwas sei richtig, geht sicherlich zusammen mit der Vorstellung des Kindes davon, was die Mutter bzw. was die Eltern erwarten; dagegen hat die Vorstellung davon, was gut und was böse ist, die mit diesem Schuldgefühl verbunden ist, tiefere Wurzeln – sie hat etwas zu tun mit dem Gleichgewicht zwischen der Angst angesichts destruktiver Impulse und der Fähigkeit und Chance zur Wiederherstellung und zu konstruktivem Verhalten. Was die Schuldgefühle mindert, ist in den Augen des Kindes gut; was die Schuldgefühle vermehrt, ist böse. Tatsächlich ist die dem Kind angeborene Moralität, die sich aus den primitiven Befürchtungen heraus entwickelt, sehr viel rigider als die Moralität von Mutter und Vater. Für das kleine Kind zählt nur, was wahr und wirklich ist. Es bedarf eines gehörigen Stücks Arbeit, bis man ein Kind soweit hat, daß es aus Höflichkeit »danke« sagt und nicht einfach deshalb, weil es sich über das Geschenk gefreut hat.

Sie sehen also: Nach der Theorie, an die ich mich halte, ermöglichen Sie es Ihrem Kind, ein Gefühl für Gut und Böse auszubilden, indem Sie sich in diesem frühen prägenden Stadium seiner Lebens-Erfahrung als verläßliche Person erweisen. Insoweit Ihr Kind ein eigenes Schuldgefühl entwickelt, und nur insoweit, hat es einen Sinn, daß Sie *Ihre* Vorstellungen von Gut und Böse einführen.

Wenn Sie in diesem Punkt kein Glück mit Ihrem Kind haben (und Sie werden mit dem einen Kind eher Erfolg haben als mit dem anderen), wird Ihnen nichts anderes übrig bleiben, als menschliche Strenge zu zeigen, auch wenn Sie wissen, daß der natürliche Entwicklungsprozeß Besseres hervorgebracht hätte. Wenn es Ihnen absolut nicht gelingt, müssen Sie versuchen, Ihrem Kind durch Belehrung und Drill eine Vorstellung von »recht« und »unrecht« einzupflanzen. Dies kann aber nur ein Ersatz für das Wirkliche sein, ein Eingeständnis des Versagens, und es wird Ihnen überhaupt nicht gefallen; auf jeden Fall wird diese Methode nur so lange funktionieren, wie Sie, oder eine andere Person an Ihrer Stelle, dem Kind Ihren Willen aufzwingen. Wenn Sie Ihr Kind aber umgekehrt so auf den Weg bringen können, daß es dank Ihrer Verläßlichkeit von sich aus ein Gespür für »recht« und »unrecht« entwickelt anstelle grober und primitiver Vergeltungsängste, dann werden Sie sehen, daß Sie es später in seinen Vorstellungen bekräftigen und diese durch Ihre Vorstellungen bereichern können. Denn das heranwachsende Kind ahmt seine Eltern gerne nach – oder widersetzt sich ihnen, was am Ende auf das gleiche hinausläuft.

(1962)

# 10
# Das Kind von fünf Jahren


Ein erfahrener Familienrichter soll sich kürzlich im Hinblick auf ein knapp fünfjähriges Kind, dessen Eltern sich getrennt hatten, in folgender Weise geäußert haben: »Kinder dieses Alters sind ja bekanntlich beweglich.« Ich habe nicht die Absicht, das Urteil, das in diesem Fall erging, zu kritisieren; aber über die Frage, ob fünfjährige Kinder bekanntermaßen beweglich sind, läßt sich immerhin diskutieren. Beweglichkeit, so würde ich meinen, stellt sich erst mit zunehmender Reife ein; solange ein Kind noch in der Entwicklung begriffen ist, dürfte es dagegen kaum einen Zeitpunkt geben, in dem man es als beweglich bezeichnen könnte. Beweglichkeit würde bedeuten, daß wir Gefügigkeit erwarten könnten, ohne Gefahr für das Wachstum seiner Persönlichkeit und die Bildung seines Charakters.

Tatsächlich kann man sagen, daß gerade dieses Alter – fünf Jahre – ein paar Besonderheiten aufweist, die es erst recht erforderlich machen, daß wir in dem Bemühen, dem Kind eine verläßliche Umgebung zu bieten, nicht nachlassen. Mit diesen besonderen Gründen möchte ich mich heute befassen.

Sie schauen zu, wie Ihre Kinder aufwachsen, und können sich nur wundern: Es geht alles so langsam und doch auch wieder blitzschnell. Das ist das Merkwürdige daran. Es ist doch erst ein paar Wochen her, daß Ihr Kind ein Baby war! Dann fing es an zu laufen, heute ist es schon fünf Jahre alt, morgen wird es in die Schule gehen. Und wenig später steht es dann bereits im Arbeitsleben.

Wir haben es hier mit einem interessanten Widerspruch zu tun. Die Zeit ist zugleich langsam und schnell vergangen. Ich könnte es auch so sagen: Solange Sie die Dinge aus dem Gesichtswinkel Ihres Kindes sahen, stand die Zeit praktisch still. Oder sie begann mit einem Stillstand und kam erst ganz allmählich in Bewegung. Der Gedanke der Endlosigkeit entstammt unseren infantilen Erinnerungsspuren; er entstand vor dem Anfang der Zeit. Aber wenn Sie nun wieder in Ihre erwachsene Erfahrung überwechseln, dann stellen Sie fest, daß fünf Jahre so gut wie nichts sind.

Das hat eine merkwürdige Wirkung auf das Verhältnis zwischen Ihrer Erinnerung und der Erinnerung Ihres Kindes. Sie selbst erinnern sich deutlich an das, was vor einem Monat geschah, und nun müssen Sie plötzlich feststellen, daß Ihr fünfjähriger Sohn sich nicht an den Besuch seiner Tante oder den Tag erinnert, an dem der kleine Hund ins Haus kam. Er erinnert sich an manches, auch an lang zurückliegende Dinge, vor allem, wenn darüber gesprochen wurde, und er geht mit der Familiensaga, die er kennenlernt, so um, als handle es sich um andere Leute oder um Gestalten aus einem Buch. Er ist seiner selbst und der Gegenwart gewahr geworden, und zugleich hat er begonnen, zu vergessen.

Er hat jetzt eine Vergangenheit, und sein Geist beherbergt eine Spur von halbvergessenen Dingen. Der Teddybär liegt ganz hinten in der untersten Schublade, oder er hat vergessen, wie wichtig ihm dieser Gefährte einmal war, außer wenn ihm plötzlich einfällt, daß er ihn braucht.

Man könnte sagen, daß dieser Fünfjährige allmählich aus einem eingefriedeten Bereich herauskommt; in den Wänden der Einfriedung haben sich Öffnungen aufgetan, die Umzäunung ist nicht mehr an allen Stellen gleich stark – und siehe da, er ist draußen! Es ist nicht leicht für ihn, wieder hineinzugelangen oder sich vorzustellen, er sei wieder drinnen, es sei denn, er wäre müde oder krank und Sie hätten das Gehege in seinem Interesse wiederhergestellt.

Die Einfriedung haben Sie ihm geboten – Sie, Mutter und Vater, und auch Familie, Haus und Hof, die vertrauten Anblicke, Geräusche und Gerüche. Die Einfriedung – das gehört auch zu seiner eigenen Unfertigkeit, seinem Vertrauen in Ihre Verläßlichkeit und die subjektive Natur seiner kleinen Welt. Diese Einfriedung hat ihren natürlichen Ursprung in

Ihren Armen, die ihn umschlossen, als er ein Baby war. Sie haben sich seinen Bedürfnissen in jeder Weise angepaßt; später haben Sie diese Anpassung allmählich zurückgenommen, im Einklang mit dem Tempo, in dem er Freude am Unbekannten und Neuen erkennen ließ. Und da Kinder nun einmal nicht eines wie das andere sind, haben Sie für jedes Kind eine eigene Einfriedung geschaffen. Aus dieser Einfriedung taucht Ihr Sohn oder Ihre Tochter nun auf – bereit, sich einer anderen Gruppe anzuschließen, eine neue Art der Einfriedung zu betreten, wenigstens für einige Stunden am Tag. Mit anderen Worten, Ihr Kind kommt bald in die Schule.

Wordsworth hat diesen Übergang im Sinn, wenn er in seiner Ode über die Unsterblichkeit sagt:

> *Heaven lies about us in our infancy,*
> *Shades of the prison-house begin to close*
> *Upon the growing boy...* *

Der Dichter weiß: Das heranwachsende Kind ist sich der neuen Einfriedung bewußt, im Gegensatz zum kleinen Kind, das von seiner Abhängigkeit nichts weiß.

Natürlich haben Sie diesen Prozeß schon vorbereitet, indem Sie Ihr Kind in den Kindergarten schickten, sofern es einen guten Kindergarten in Ihrer Nähe gab. In einem guten Kindergarten können kleine Kinder in kleinen Gruppen spielen, und zwar mit Spielsachen, die ihnen gemäß sind, und vielleicht auf einem Fußboden, der sich dafür besser eignet als der Fußboden bei Ihnen zu Hause. Zudem ist immer jemand zur Stelle, um die ersten Experimente Ihres Kindes im Umgang mit seinesgleichen zu überwachen – zum Beispiel seinen Versuch, einem anderen Kind mit der Schaufel eins überzuziehen.

Allerdings unterscheidet sich der Kindergarten noch nicht so sehr vom Zuhause; es handelt sich noch immer um eine

---

* Himmel umgibt unsere erste Kindheit; Schatten des Gefängnisses ziehen über dem heranwachsenden Knaben auf.

an den Bedürfnissen des Kindes ausgerichtete Umgebung. Die Schule, die wir jetzt betrachten wollen, ist anders. Sie mag im Einzelfall gut oder nicht so gut sein; auf jeden Fall kommt sie, anders als der Kindergarten, den Bedürfnissen des Kindes nicht entgegen und ist nicht – oder nur am Anfang – auf diese Bedürfnisse ausgerichtet. Mit anderen Worten, die Anpassung muß jetzt von Ihrem Kind geleistet werden, das sich einfügen und den Erwartungen an ein Schulkind gerecht werden muß. Ich hoffe wirklich, daß es reif dafür ist, denn in diesem Fall kann die neue Erfahrung ihrem Kind großen Gewinn bringen.

Sie haben sich über die Bewältigung dieser großen Veränderung im Leben Ihres Kindes natürlich schon eine Menge Gedanken gemacht. Sie haben mit dem Kind über die Schule gesprochen, das Kind hat »Schule« gespielt und ist nun gespannt, bald mehr und anderes zu lernen als nur das, was es bisher von Ihnen und anderen gehört und erfahren hat.

Zu diesem Zeitpunkt kommt es zu Schwierigkeiten, weil die Veränderungen in der äußeren Umgebung mit den inneren, den entwicklungsbedingten Veränderungen in Einklang gebracht werden müssen. Ich habe sehr viel mit den Schwierigkeiten von Kindern dieses Alters zu tun gehabt und kann dazu sagen, daß in der großen Mehrzahl dieser Fälle von einem tiefsitzenden Problem oder wirklicher Krankheit nicht die Rede sein kann. Die Belastung besteht im einen Fall vielleicht darin, daß das Kind schnell sein muß, in einem anderen darin, daß es langsam sein soll: Ein paar Monate können da sehr viel ausmachen. Ein Kind, das im November Geburtstag hatte, kann es kaum erwarten, endlich in die Schule zu kommen, während ein Kind, das im August Geburtstag hat, einen oder zwei Monate zu früh dorthin verfrachtet wird. Das eine – beherzte – Kind wagt sich sogleich ins Tiefe, während das andere sich gar nicht ins Wasser traut, sondern zitternd am Ufer bleibt. Und dann gibt es natürlich das Kind, das zunächst den Tapferen spielt und dann, nachdem es den großen Zeh ins Wasser getaucht hat, zurückschreckt, sich wieder bei der Mutter verkriecht und sich tage-, ja wochenlang weigert, wieder aus seiner Einfriedung herauszukommen. Jetzt wird Ihnen klar, von welcher Art Ihr Kind ist; Sie sprechen mit den Lehrern, die das alles natürlich nur zu gut kennen und beschließen, erst einmal abzuwarten und »Leine zu geben«. Man muß sich klarmachen, daß das Herauskommen aus der Einfriedung eine höchst aufregende und erschreckende Sache ist, daß es dem Kind entsetzlich erscheint, nicht mehr zurück zu können, nachdem es einmal herausgekommen ist, und daß das Leben immer und immer wieder verlangt, daß wir aus unseren Einfriedungen herauskommen, neue Risiken auf uns nehmen und uns neuen Herausforderungen stellen.

Manche Kinder können aufgrund eigener Schwierigkeiten keine neuen Schritte unternehmen, und wenn dies für Ihr Kind zutrifft und die Zeit diesen Mangel nicht heilen kann oder wenn Sie Anzeichen dafür sehen, daß das Kind krank ist, dann brauchen Sie Hilfe.

Es kann aber auch sein, daß mit Ihnen, der rundum guten Mutter, etwas nicht stimmt, wenn Ihr Kind vor dem neuen Schritt zurückschreckt. Sie werden nicht wollen, daß ich über diese Möglichkeit stillschweigend hinweggehe, und ich will Ihnen sagen, was ich meine.

Es gibt Mütter, die sozusagen auf zwei Ebenen operieren. Auf der einen (soll ich sie die oberste Schicht nennen?) haben sie nur ein einziges Anliegen: Sie wollen, daß ihr Kind heranwächst, aus seiner Einfriedung herauskommt, in die Schule geht und sich in die Welt hineinfindet. Auf einer anderen und, wie ich annehme, tieferen und nicht wirklich bewußten Ebene können sie sich überhaupt nicht vorstellen, ihr Kind loszulassen. Auf dieser tieferen Ebene, auf der die Logik keine große Rolle spielt, kann die Mutter diese höchst kostbare Sache, ihre mütterliche Funktion, nicht aufgeben – sie glaubt, daß ihr das Muttersein, solange ihr Kind von ihr abhängig und auf sie angewiesen ist, besser gelingt als später, wenn es, herangewachsen, sich seiner Unabhängigkeit erfreut und dann auch einmal rebelliert.

Das Kind spürt dies nur zu gut. Obwohl es ihm in der Schule gefällt, kommt es nach dem Unterricht im Laufschritt nach Hause gerannt und veranstaltet jeden Morgen ein großes Geschrei, bevor es endlich in der Schultür verschwindet. Die Mutter tut ihm leid; es weiß nämlich, daß sie es nicht erträgt, ihr Kind »zu verlieren«, und daß sie es kaum über sich bringt, es in die Welt hinauszuschicken. Für das Kind ist es leichter, wenn die Mutter froh ist, es los zu sein, und sich anschließend freut, es wiederzuhaben.

Viele Eltern – und gerade die besten – fühlen sich gelegentlich, ja fast immer ein wenig niedergeschlagen. Sie empfinden ein vages Schuldgefühl, und sie fragen sich immer wieder besorgt, ob sie ihren Pflichten auch wirklich nachgekommen sind. Die Lebhaftigkeit des Kindes war ihr Lebenselixier. Der Lärm, den es veranstaltet hat, ja auch sein Weinen und Schreien waren ein Zeichen von Leben und genau die richtige Beruhigung und Bestätigung. Wer deprimiert ist, hat ja ständig das Gefühl, er habe etwas absterben lassen, das kostbar und lebenswichtig war. Jetzt, nachdem das Kind in die Schule gekommen ist, fürchtet eine solche Mutter sich vor der äußeren und inneren Leere und dem Gefühl eines inneren, persönlichen Versagens, und das treibt sie dazu, sich eine neue Beschäftigung zu suchen, die sie ausfüllt. Das Kind, das von der Schule nach Hause kommt und dessen Mutter einen solchen neuen Lebensinhalt gefunden hat, stellt fest, daß es hier keinen Platz mehr hat oder daß es sich seinen Weg zurück in die Aufmerksamkeit der Mutter erkämpfen muß. Dieses Bemühen, dorthin zurückzugelangen, wird ihm wichtiger als die Schule.

Das endet häufig damit, daß das Kind sich weigert, weiterhin in die Schule zu gehen. Dabei sehnt es sich die ganze Zeit danach, in der Schule zu sein, und der Mutter wäre nichts lieber für ihr Kind, als wenn es so wäre wie die anderen.

Ich weiß von einem Jungen, der in dieser Situation eine wahre Leidenschaft dafür entwickelte, Gegenstände mit einem Strick aneinanderzubinden. Ständig befestigte er die

Kissen am Kamin und die Stühle am Tisch, so daß es geradezu riskant war, sich im Haus zu bewegen. Er war seiner Mutter sehr zugetan, war sich aber nie so ganz sicher, ob es ihm gelingen würde, wieder ins Zentrum ihrer Aufmerksamkeit zu gelangen, weil sie sich sofort deprimiert fühlte, wenn er sie verließ, und sich dann im Nu einer anderen Sache zuwandte, die ihr Sorgen bereitete oder über die sie nachgrübeln konnte.

Wenn Sie ähnlich veranlagt sind wie diese Mutter, dann tröstet es Sie vielleicht zu hören, daß solche Fälle keineswegs selten sind. Sie werden froh sein, daß Ihr Kind ein Gespür für die Gefühle seiner Mutter und auch für die Gefühle anderer Menschen hat; aber Sie werden es zugleich bedauern, daß Sie Ihrem Kind mit Ihren unausgesprochenen und vielleicht sogar unbewußten Ängsten offenbar leid tun. Es gelingt ihm nicht, aus der Einfriedung herauszukommen.

Sie haben Erfahrungen dieser Art vielleicht schon zu einem früheren Zeitpunkt gemacht. Vielleicht ist es Ihnen schwergefallen, ihr Kind abzustillen. Sie haben im Laufe der Zeit möglicherweise festgestellt, daß sein Zögern vor jedem neuen Schritt, seine Angst, neues, unbekanntes Terrain zu erforschen, einem bestimmten Muster folgte. Immer wenn eine solche Situation eintrat, bestand die Gefahr, daß Ihr Kind sich aus der Abhängigkeit von Ihnen lösen würde. Sie waren im Begriff, ein unabhängiges Kind zu bekommen mit einer eigenen Sicht auf das Leben, und obwohl Ihnen klar war, welche Vorteile das haben würde, konnten Sie sich gefühlsmäßig aus der bestehenden Situation nicht lösen. Es besteht ein sehr enger Zusammenhang zwischen diesem leicht depressiven Gemütszustand – diesem Beschäftigtsein mit undefinierbaren Ängsten – und der Fähigkeit (oder Unfähigkeit) einer Frau, dem Kind ihre ungeteilte Aufmerksamkeit zuzuwenden. Ich kann im Grunde über das eine nicht ohne das andere sprechen. Die meisten Frauen leben, wie ich annehme, irgendwo in diesem Übergangsbereich.

Mütter müssen immer wieder durch alle möglichen Kämpfe und Ängste hindurch, und es ist ein Glück, wenn die Kinder, und besonders die kleineren Kinder, da nicht mit hineingezogen werden. Sie haben genügend eigene Kämpfe durchzustehen, und sie haben noch nicht einmal etwas dagegen – gerade so, wie sie sich freuen, wenn sie etwas Neues lernen und anwenden, ihren Horizont erweitern und glücklich und zufrieden sein können.

Was hat Wordsworth gemeint, als er von den »Schatten des Gefängnisses« sprach? In meiner Sprache ausgedrückt, spricht er von dem Übergang aus der subjektiven Welt des kleinen Kindes in eine Welt der gemeinsamen Realität. Am Anfang hat das Kind – wenn es hinreichend gut versorgt wird – die magische Kontrolle über die Umgebung, und es erschafft sich seine eigene Welt – Sie, die Mutter, und auch die Türklinke. Jetzt, mit fünf Jahren, ist das Kind fähig, seine Mutter in stärkerem Maße so wahrzunehmen, wie sie tatsächlich ist; es ist bereit zuzugeben, daß da eine Welt der Türklinken und anderer Gegenstände ist, die bereits existierten, bevor es gezeugt wurde, und es ist bereit, die Tatsache seiner Abhängigkeit anzuerkennen, ausgerechnet in dem Augenblick, in dem es tatsächlich anfängt, unabhängig zu werden. Es kommt alles auf den richtigen Zeitpunkt an, und ich bin überzeugt, Sie werden mit alldem wunderbar fertig. Auf irgendeine Weise gelingt es den meisten Müttern.

Das Leben kann in vielerlei Gestalt an ein Kind dieses Alters herantreten. Ich habe den Teddybär erwähnt. Ihr Kind hängt vielleicht sehr an einem bestimmten Gegenstand. Das kann zunächst die Bettdecke, eine Windel, ein abgelegter Schal oder eine Stoffpuppe sein. Dieser Gegenstand wird um den ersten Geburtstag herum wichtig und spielt zumal in Zeiten des Übergangs eine Rolle, so beim Übergang vom Wachsein in den Schlaf. Er ist von unermeßlicher Bedeutung, er wird abscheulich behandelt und riecht keineswegs gut. Sie können von Glück sagen, daß Ihr Kind sich diesen Gegenstand erwählt hat und nicht etwa Sie selbst, Ihr Ohrläppchen oder Ihr Haar.

Dieser Gegenstand verbindet das Kind mit der Außenwelt. Er ist ein Teil des Kindes und zugleich ein Teil von

Ihnen, der Mutter. Das eine Kind kann diesen Gegenstand tagsüber vielleicht gar nicht gebrauchen, das andere schleppt ihn überallhin mit. Unter Umständen ist dieser Gegenstand auch für das fünfjährige Kind noch wichtig; aber es können auch viele andere Dinge an seine Stelle getreten sein; das Kind schaut Bilderbücher an, es hat eine Menge Spielsachen, harte und weiche, und im übrigen steht das ganze Spektrum des kulturellen Lebens zur Verfügung, um sein Erleben zu bereichern. Aber vielleicht gibt es Kummer, wenn das Kind in die Schule kommt, und dann wird die Lehrerin eine behutsame Gangart wählen müssen und diesen Gegenstand, jedenfalls zu Anfang, noch nicht gänzlich aus dem Klassenzimmer verbannen. Das Problem löst sich fast immer innerhalb von ein paar Wochen.

Ich glaube, daß das Kind damit einen Teil seiner Beziehung zu Ihnen mit in die Schule nimmt, der weit in die Zeit seiner frühesten Abhängigkeit, in die frühe Kindheit zurückreicht, in die Zeit, als es gerade erst eine Ahnung davon bekam, daß die Mutter und die Welt vom Selbst getrennt sind.

Wenn die Angst vor der Schule sich schließlich legt, braucht das Kind diesen Gegenstand nicht mehr dorthin mitzunehmen. Es wird statt dessen einen Spielzeuglaster oder sonst ein Auto, ein Stück Schnur und eine Lakritze in die Tasche stecken, und das Mädchen wird irgendwie klarkommen, indem es ein Taschentuch herumzwirbelt, oder es hat vielleicht eine Streichholzschachtel mit einem Baby-Püppchen darin, von dem niemand sonst etwas weiß. Und wenn es einmal ganz schlimm kommt, kann das Kind immer noch am Daumen lutschen oder an den Nägeln kauen. Mit wachsendem Vertrauen gibt es diese Verhaltensweisen schließlich auf. Im Laufe der Zeit wissen Sie, daß Ihr Kind Angst hat bei jedem Schritt, der es herausführt aus dem Einssein mit Ihnen und seinem Zuhause und hinein in die Zugehörigkeit zur großen weiten Welt. Und diese Angst kann sich in der Rückkehr zu infantilen Verhaltensweisen äußern, die glücklicherweise erhalten geblieben sind und für

Sicherheit und Stabilität sorgen – eine Art eingebauter Psychotherapie, die der menschlichen Natur schon mitgegeben ist und die auch jetzt noch wirksam ist, weil Sie, die Mutter, lebendig und zur Stelle sind und weil Sie die ganze Zeit über die Verbindung herstellen zwischen der Gegenwart und den frühesten Erfahrungen des Kindes, die in solchen kleinkindlichen Verhaltensmustern fortleben.

Und noch etwas: Kinder sind schnell bereit, sich für treulos zu halten, wenn es ihnen in der Schule gefällt und sie die Mutter für ein paar Stunden vergessen. Auf dem Nachhauseweg beschleicht sie dann eine vage Angst, oder sie zögern das Heimgehen hinaus, ohne zu wissen warum. Wenn Sie, die Mutter, darüber ein bißchen ärgerlich sind, dann sollten Sie Ihrem Ärger aber nicht gerade in dem Augenblick Luft machen, wenn Ihr Kind nach Hause kommt. Und wenn Sie vielleicht ärgerlich sind, weil Ihr Kind Sie eine Zeitlang vergessen hat, dann achten Sie bitte auf Ihre Reaktionen im Blick auf diese neuen Entwicklungen. Auch sollten Sie nicht gleich anfangen zu schimpfen, wenn da auf der Tischdecke vielleicht ein Tintenklecks ist, sondern warten, bis Sie und Ihr Kind wieder einen Kontakt zueinander hergestellt haben.

Alle diese Dinge werden Ihnen keine größeren Schwierigkeiten bereiten, wenn Sie wissen, was vor sich geht. Für das Kind ist das Heranwachsen nicht immer nur ein Honigschlecken, und für die Mutter ist es oft ausgesprochen bitter.

(1962)

# 11
## Streß im Vorschulalter:
## Die Bildung des Vertrauens

Es dürfte nicht schwierig sein, etwas über Streßerfahrungen in frühester Kindheit zu schreiben, einfach weil wir alle wissen, daß sehr kleine Kinder auf kontinuierliche und verläßliche Versorgung angewiesen sind; andernfalls können sie sich nicht normal entwickeln. Was die nächste Entwicklungsstufe angeht, so rechnen wir damit, daß das Kind inzwischen so oft die Erfahrung gemacht hat, gut versorgt worden zu sein, daß es seinen Weg mit einem gewissen Maß an Vertrauen – Vertrauen in die Menschen und in die Welt – fortsetzen kann und es schon einer größeren Irritation bedürfte, um es in diesem Vertrauen zu erschüttern. Beim ganz kleinen Kind ist dieses Vertrauen in Dinge und Menschen aber noch im Aufbau begriffen.

Eben das ist es, was wir an sehr kleinen Kindern beobachten können: Sie vertrauen uns, aber ihr Vertrauen ist leicht zu erschüttern. Aus diesem Grunde bemühen wir uns ganz besonders um Verläßlichkeit.

Das tun wir natürlich nicht, indem wir uns bewußt anstrengen oder Bücher lesen und Vorträge besuchen; wir tun es vielmehr, weil kleine Kinder sozusagen unsere besten Eigenschaften auf den Plan rufen, so daß wir uns eine Weile ganz ordentlich verhalten. Wir streiten uns nicht vor anderen – das heißt vor den Kindern, und wir lassen durchaus den Eindruck aufkommen, daß wir allein aufgrund der Tatsache, daß die Kinder da sind, das Gefühl haben, zusammenzugehören.

Manche Menschen sind so sehr damit beschäftigt, ihr eigenes Leben und ihre eigenen Schwierigkeiten zu bewältigen, daß sie für ihre Kinder nicht das tun können, was diese brauchen. Aber Kinder können sehr vieles verstehen, wenn sie ein Zuhause haben und die Eltern zusammenbleiben und es auch in einer sonst kalten Atmosphäre etwas Wärme gibt, wenn sie regelmäßig zu essen bekommen und das Essen gut schmeckt und wenn sie nicht einem plötzlichen unvorhersehbaren Krach ausgesetzt sind, der physisch weh tut und sich nicht wegreden läßt. Unter äußeren Bedingungen, die vorhersehbar sind und an die Kinder sich im eigentlichen Wortsinn halten können, sind sie durchaus imstande, gewisse Belastungen in der Beziehung der Eltern zueinander zu ertragen; die Hauptsache für sie ist, daß die Eltern da sind, daß sie leben und daß sie Gefühle haben. Andererseits trifft es natürlich zu, daß kleine Kinder sich müheloser entwikkeln, wenn sie spüren, daß ihre Eltern in einer harmonischen Beziehung leben. Für ein Kind wird die zwischenmenschliche Beziehung der Eltern symbolisiert durch die Stabilität des Zuhauses und die Lebendigkeit der Straße. Umgekehrt – daß Haus und Straße ihre symbolische Entsprechung in der elterlichen Beziehung fänden – ist diese Aussage nicht annähernd so wahr.

## Authentizität statt Vollkommenheit

Ich muß vorsichtig sein. Wenn ich hier so leichthin beschreibe, was das sehr kleine Kind braucht, dann könnte es so aussehen, als verlangte ich von den Eltern, daß sie selbstlose und engelhafte Wesen seien, und als setzte ich eine ideale Welt voraus, eine Art Vorstadtidylle zur Sommerszeit – der Vater mäht den Rasen, die Mutter bereitet das Sonntagsessen vor, der Hund verbellt den fremden Köter jenseits des Gartenzauns. Kinder, ja sogar Babys, reagieren nämlich gar nicht gut auf mechanische Vollkommenheit. Sie brauchen menschliche Wesen um sich, Menschen, die in ihren Bemühungen nicht immer nur Erfolg haben, sondern auch Fehlschläge erfahren.

Ich spreche gern davon, daß etwas »genügend gut« oder »hinreichend gut« ist. Mit »hinreichend guten« Eltern können Kinder etwas anfangen, und »hinreichend gut« – das kennzeichnet Sie und mich. Um konsequent und damit für unsere Kinder berechenbar zu sein, müssen wir *wir selbst* sein. Dann können unsere Kinder uns kennenlernen. Wenn wir ihnen etwas vorspielen und zufällig einmal ohne die Maske erwischt werden, dann sind wir durchschaut.

## Man muß keineswegs alles wissen...

Ich stehe vor dem Problem, wie ich Verhaltensmaßregeln geben könnte, ohne meinem Publikum Vorschriften zu machen. Belehrt zu werden ist nur bis zu einem gewissen Grade von Nutzen. Eltern, die anfangen, Rat in Büchern zu suchen, sollten wissen, daß sie nicht alles wissen müssen. Das meiste von dem, was in ihrem Kind vorgeht, passiert ohnehin, ob sie es nun verstehen oder nicht – einfach weil das Kind die Tendenz zur Entwicklung in sich trägt. Niemand muß ein Kind hungrig, wütend, glücklich, traurig, zärtlich, brav oder ungezogen machen: All das passiert ganz einfach. Diesen Teil Ihrer Verantwortung haben Sie bereits abgegeben, und die Details der angeborenen Entwicklungstendenzen Ihres Kindes sind bereits festgelegt worden, als Sie Ihren Partner wählten und das *eine* Spermium in das *eine* Ei eindrang. In diesem schicksalsträchtigen Augenblick wurden die Akten, was die Erblichkeitsfaktoren angeht, bereits geschlossen, und die Dinge nahmen, was Körper, Geist, Persönlichkeit und Charakter Ihres Kindes angeht, ihren eigenen Lauf. Das sind physiologische und anatomische Entwicklungen, höchst komplizierte und höchst interessante Vorgänge, mit deren Erforschung Sie sich ein ganzes Leben lang beschäftigen könnten. Im Umgang mit dem eigenen Kind, das Sie so dringend braucht, würde Ihnen diese Beschäftigung aber nicht weiterhelfen.

# ... aber es gibt Dinge, die zu wissen nützlich ist

Was wäre für Eltern nun aber nützlich zu wissen? Meiner Meinung nach sind es vor allem zwei Aspekte, über die Sie Bescheid wissen müssen. Es sind dies zum einen der Entwicklungsprozeß, der vom Kind ausgeht, und zum anderen die entwicklungsgefährdende Umwelt, die überwiegend in Ihrer Verantwortung liegt.

## Der Entwicklungsprozeß

Nachdem Sie einmal darauf aufmerksam gemacht worden sind, ist es ja wohl ganz offensichtlich, daß Ihr Kind die Tendenz zu leben, zu atmen, zu essen, zu trinken, zu wachsen – mit einem Wort, sich zu entwickeln – in sich trägt. Sie tun gut daran, dies von Anfang an als gegeben hinzunehmen.

In diesem Zusammenhang ist es nützlich zu wissen, was Sie *nicht* tun müssen: Sie müssen *nicht* »machen«, daß Ihr Kind wächst und sich entwickelt, daß es brav oder »sauber« ist, daß das brave Kind großzügig ist, daß das großzügige Kind es versteht, die richtigen Geschenke für die richtigen Leute auszuwählen.

Wenn Sie einen Schritt zurücktreten und in die Beobachterposition gehen, werden Sie sehen, daß der Entwicklungsprozeß im Gang ist, und das wird Sie entlasten. Sie haben etwas in Gang gebracht, das nun nach seinem eigenen inneren Tempo funktioniert. Jetzt werden Sie sich Gedanken über die Bremsen machen.

Alles, was ich hier sage, muß durch eine andere Beobachtung modifiziert werden, die Beobachtung nämlich, daß keine zwei Kinder einander völlig gleich sind, so daß es Ihnen passieren kann, daß das eine Ihrer Kinder allzu »lahm«, das andere allzu dynamisch ist. Eines aber trifft grundsätzlich und in jedem Fall zu: Es sind die Entwicklungsprozesse, die in Ihrem Kind selbst angelegt sind, durch die es zu den von Ihnen erwarteten Veränderungen kommt.

Das erste nützliche Faktum, über das die Eltern Bescheid wissen sollten, hat also mit den jedem Kind angeborenen Entwicklungstendenzen zu tun.

## Die Umgebung

Der zweite wichtige Grundsatz hat mit Ihrer ganz besonderen Rolle zu tun: Sie *sind* die Umgebung des Kindes, und Sie *liefern* ihm die Umgebung. Niemand muß Ihnen beweisen, daß ein neugeborenes Kind sanfte Behandlung und Wärme braucht – Sie wissen genau, daß das zutrifft. Sollte jemand daran zweifeln, dann wäre es an ihm, zu beweisen, daß das, was Sie wissen, falsch ist. Schließlich sind Sie ja selbst einmal ein kleines Kind gewesen; Sie haben Erinnerungen, die Sie leiten, ganz abgesehen von allem, was Sie gelernt haben, wenn Sie bei der Versorgung eines kleinen Kindes zugesehen oder mitgeholfen haben.

Die Umgebung, die Sie Ihrem Kind bieten, besteht vor allem aus Ihnen selbst, aus Ihrer Person, Ihrem Wesen, Ihren individuellen Merkmalen, die dazu beitragen, daß Sie wissen: Ich bin ich. Ferner gehört dazu natürlich alles, was um Sie herum ist – Ihr Parfüm, die Atmosphäre, die Sie umgibt, und auch jener Mann, der sich für das Kind irgendwann als Vater entpuppt. Es gehören vielleicht noch weitere Kinder dazu sowie die Großeltern, Tanten und Onkel. Mit anderen Worten: Ich liefere hier nichts anderes als eine Beschreibung der Familie, wie das kleine Kind sie allmählich entdeckt, der Familie mit ihren spezifischen Merkmalen, die dazu beitragen, daß die häusliche Umgebung Ihres Kindes ein bißchen anders ist als bei anderen.

# Interaktion

Wir haben hier also zwei klar unterschiedene Sachverhalte, die angeborenen Tendenzen des Babys und die Umgebung, die Sie dem Kind bieten. Das Leben besteht in der Interaktion zwischen beiden. Zunächst vollzieht sich dieses Wechselspiel sozusagen unter Ihren Augen, später außerhalb Ihres unmittelbaren Umkreises – in der Schule, im Zusammensein mit Freunden, im Sommerlager und natürlich auch im Kopf Ihres Kindes, in seinem ganz persönlichen Leben, in seinen Gedanken.

Sie könnten nun natürlich, wenn Sie es wollten, viel Zeit damit verbringen, das Verhalten Ihres Kindes an gewissen Standards zu messen, die ihren Ursprung in Ihrer Herkunftsfamilie haben oder in einem Verhaltensmuster, das jemand, der für Sie einmal ein bewundertes Vorbild war, an Sie weitergegeben hat. Aber vielleicht machen Sie eine viel großartigere und beglückendere Erfahrung, wenn Sie das Streben des Kindes nach Unabhängigkeit in Beziehung sehen zu der Abhängigkeit, die Sie ermöglicht haben, weil Ihr Kind Vertrauen hatte in Sie und Ihren gesamten häuslichen Umkreis.

## Zwei Formen der Streßerfahrung

Ich habe die Entwicklung des Kindes in dieser Weise geschildert, um mir die Darstellung möglicher Streßerfahrungen zu erleichtern. Theoretisch kann Streß aus zwei Richtungen kommen; in der Praxis müssen wir allerdings mit gemischten Formen rechnen.

### Der innere Prozeß
Streß kann sich zum einen daraus ergeben, daß der Entwicklungsprozeß des Individuums äußerst komplex ist und sozusagen aus sich heraus auch schiefgehen kann. Dafür ist die

Psychoanalyse zuständig. Es ist keineswegs notwendig, daß die Eltern oder andere Bezugspersonen eines kleinen Kindes genau wissen, welche Schwierigkeiten und Gefahren mit der Etablierung von Persönlichkeit und Charakter des Individuums einhergehen, auch mit seinem Bemühen, allmählich eine Beziehung zu seiner Familie einzugehen und einen Platz in der größeren Gemeinschaft zu finden – kurz, ein Glied der menschlichen Gesellschaft zu werden, ohne dabei allzuviel persönliche Vitalität und Kreativität einzubüßen.

Eltern und anderen Bezugspersonen mag dieser Prozeß ungeheuer interessant erscheinen; wirklich wichtig ist in diesem Zusammenhang aber nur, daß sie ihn phantasievoll zu begleiten vermögen; das ist wichtiger, als ihn verstehen zu wollen.

Nehmen Sie an, Ihr Kind spielt unter dem Tisch und stößt sich beim Aufstehen den Kopf an der Tischplatte. Im Nu ist es bei Ihnen und im Begriff, in lautes Geschrei auszubrechen. Sie sagen etwas, legen die Hand dorthin, wo es wehtut, und machen die Sache vielleicht noch mit einem Kuß gut. Nach wenigen Minuten ist alles wieder in Ordnung, und das Kind nimmt sein Spiel unter dem Tisch wieder auf. Welchen Nutzen hätte es, wenn Sie imstande wären, jetzt so etwas wie eine wissenschaftliche Arbeit über den einen oder anderen Aspekt dieses Geschehens zu schreiben? Etwa so:

1. Auf diese Weise lernen Kinder, während sie spielen. Sie müssen die Augen aufmachen, bevor sie aufspringen ...
2. Es war nicht so, daß der Tisch dem Kopf des Kindes einen Schlag versetzt hätte. Kinder dieses Alters werden aber im ersten Augenblick genau dies annehmen, und das eine Kind wird angesichts des erlittenen Traumas später eher geneigt sein als das andere, der »Verfolgungstheorie« anzuhängen. Das rührt daher, daß es den Gedanken der eigenen Aggressivität nicht akzeptieren kann; vielleicht hängt es auch mit verlorengegangener Wut zusammen, Wut, die für das Baby oder das kleine Kind – das ja noch nicht sicher ist, ob es

angesichts heftiger Emotionen fähig ist, seine Integration zu wahren – eine allzu quälende Erfahrung war.

3. Wäre das vielleicht der geeignete Augenblick, dem Kind eine Lehre zu erteilen: »Siehst du: Wenn man nicht aufpaßt und immer so herumhampelt, dann tut man sich eben weh, und dann . . .«

Nein, ich halte es für besser, die ganze Angelegenheit mit einem heilenden Kuß zu beenden, einfach weil Sie ja selbst wissen, wie Ihnen zumute wäre, wenn Sie dieses kleine Kind wären, das von einem ekligen, bösen, harten Tisch »eins abbekommen« hat. Das nennt man auch Empathie, und die kann man nicht lernen, man muß sie haben.

Aber Sie könnten natürlich ein einsamer Mensch sein, und dann ist dieser Schlag auf den Kopf für Sie vielleicht etwas, was Ihnen der Himmel schickt – eine Chance, mit jemandem in Kontakt zu treten. So küssen und drücken Sie das Kind, Sie bringen es ins Bett und werden sentimental; vielleicht rufen Sie auch den Arzt, um sicher zu sein, daß es sich keine innere Verletzung zugezogen hat.

In diesem Fall hat das Kind etwas in Ihnen ausgelöst, was mit Ihren eigenen Problemen zu tun hat. Für das Kind ist Ihre Reaktion verwirrend; es kann sie nicht verstehen, und über der Betrachtung dieser Episode haben wir uns von der Beschäftigung mit den Entwicklungsprozessen entfernt. Glücklich das Kind, das die Freiheit hat, Tag für Tag neue Erfahrungen zu machen mit den neuen Dingen, die vom sich ständig erweiternden Radius seiner Fähigkeiten erfaßt werden.

Auch wenn Sie keine Ahnung von Biologie haben: In den dunklen Interstitien Ihrer Aspidistra (Sternblume) geht eine Menge vor sich, und in Ihrer Straße sind Sie berühmt wegen dieser Pflanze, deren glänzende grüne Blätter keinerlei braunen Rand aufweisen.

Nichts ist faszinierender zu beobachten als der Weg des Kleinstkindes, das zum Kind, zum Heranwachsenden und schließlich zum erwachsenen Menschen wird; aber das ist es nicht, was Kinder von ihren Eltern brauchen – daß sie das, was hier bekanntermaßen abläuft, beobachten. Es mag etwas für sich haben, wenn Lehrer und andere Personen, die dem Kind nicht so nahe stehen wie die Eltern – die ja tägliche, lebendige Erfahrungen mit ihren Kindern machen – eine solche Beobachterposition einnehmen und in Erfahrung zu bringen versuchen, was man über Entwicklungsprozesse weiß und was man nicht weiß. Und selbstverständlich ist es notwendig, daß alle diejenigen, die für kranke Kinder zu sorgen haben oder sich anschicken, mit ihnen Therapie zu machen (wobei der Begriff der Krankheit hier emotionale Schwierigkeiten, Persönlichkeits- und Charakterstörungen umfassen soll), sich besonders ernsthaft und eingehend mit dieser Materie befassen.

Es wäre verlockend, an dieser Stelle ausführlich über die Schwierigkeiten zu sprechen, die sich aus dem Entwicklungsprozeß zwangsläufig ergeben. Ich will es bei zwei Beispielen belassen: Da ist zum einen das universelle Problem der Ambivalenz, der Tatsache, daß das Kind einen Menschen oder eine Sache zugleich liebt und haßt. Und da ist zum anderen die Erfahrung, die jedes Kind in mehr oder weniger intensiver Weise machen muß: daß es mit den Triebwünschen, wie sie sich körperlich bei ihm manifestieren, in Einklang ist oder aber sich stärker mit dem anderen Geschlecht identifiziert.

Es gibt eine Vielzahl anderer Konflikte, mit denen sich unsere Kinder herumschlagen und die sie zu lösen versuchen, und wir wissen, daß viele Kinder krank werden, weil sie die Lösung nicht finden können. Aber es ist nicht Aufgabe der Eltern, zum Therapeuten ihrer Kinder zu werden.

### Die »gute Versorgung« durch die Umgebung

Den inneren Prozessen steht die Versorgung durch die Umgebung gegenüber. Die Umgebung – das sind Sie, das bin ich, das ist die Schule, und das ist die Gesellschaft ganz allgemein – und das muß uns auf ganz neue Weise interessieren, denn hier tragen wir Verantwortung. Es hängt von

der Qualität der Umgebung ab, ob der innere Entwicklungsprozeß stattfinden kann oder blockiert wird.

Ein Schlüsselwort in diesem Zusammenhang ist die »Vorhersehbarkeit«. Die Eltern – und am Anfang vor allem die
Mutter – bemühen sich nach Kräften, das Kind von allem
abzuschirmen, was sich nicht vorhersehen läßt.

Nun ist das eine Kind schneller und das andere langsamer
in der Kunst, sich einen Vers auf die Dinge zu machen und
sich gegen die Wirkung unvorhergesehener Geschehnisse
zu wappnen. Was diese Fähigkeit angeht, gibt es in der Tat
erstaunliche Unterschiede bei den Kindern. Auf jeden Fall
aber wird die Mutter gebraucht. Nehmen wir an, ein Flug-
zeug fliegt in niedriger Höhe über Ihre Wohngegend. Der
Fluglärm kann auch einem Erwachsenen Schaden zufügen.
Erklärungen nützen dem Kind überhaupt nichts. Wichtig ist
vielmehr, daß Sie es halten und fest an sich drücken. Die
Tatsache, daß Sie nicht zu Tode erschrocken sind, ist für das
Kind eine Hilfe, so daß es rasch wieder wegläuft und zu
seinem Spiel zurückkehrt. Wären Sie aber nicht zur Stelle
gewesen, dann hätte es leicht einen nicht wiedergutzuma-
chenden Schaden erleiden können.

Dies ist ein primitives Beispiel, aber es zeigt folgendes:
Unter der Perspektive der kindlichen Versorgung läßt sich
Streß als ein Versagen der Umgebung beschreiben in einer
Situation, in der Verläßlichkeit gefordert ist.

Ähnliches gilt für den Fall, daß eine Mutter ihr kleines
Kind für einige Tage ins Krankenhaus geben muß. Diese
Situation ist von Bowlby beschrieben und von James und
Joyce Robertson in einem eindrucksvollen Film *(A Two-
Year-Old goes to Hospital)* dargestellt worden. Im Alter von
zwei Jahren hat das Kind seine Mutter als Person wirklich
kennengelernt, und es braucht sie selbst, nicht nur ihren
Schutz und ihre Pflege. Streß ergibt sich für ein Kind dieses
Alters aus dem Umstand, daß die Mutter länger abwesend
ist, als das Kind ihr Bild vor seinem geistigen Auge bewahren oder ihre lebendige Gegenwart in der imaginativen Welt
von Traum und Spiel spüren kann, in jenem Bereich, der

auch als »innerpsychische Realität« bezeichnet wird. Ärzte und Schwestern sind wohl eifrig um sein körperliches Wohl bemüht, aber sie wissen oft nicht oder haben keine Zeit, darüber nachzudenken, daß die Persönlichkeit des Kindes aufgrund einer zu langen Trennung – und weil die Bedingungen seitens der Umgebung empfindlich gestört worden sind – eine gravierende Veränderung erfahren, ja daß damit der Boden für eine irreversible Charakterstörung bereitet werden kann.

Es ist immer dasselbe: Da war eine »hinreichend gute« Versorgung im Blick auf die Vorhersehbarkeit des Lebens, so wie es den Fähigkeiten des Kindes entspricht, und dann kam ein Augenblick der mangelnden Verläßlichkeit, der die Kontinuität des Entwicklungsprozesses schmerzlich unterbrach. Danach bleibt ein Bruch in der Lebenslinie zwischen dem Hier und Jetzt und den Wurzeln, die in der Vergangenheit liegen. Ein neuer Anfang muß gemacht werden. Eine zu große Zahl solcher Neuanfänge führt dazu, daß das Kind nicht mehr spürt, was es bisher spürte: *Ich bin; das bin ich; ich existiere; ich bin es, der liebt und haßt; ich bin es, den die Menschen sehen und den ich im Gesicht der Mutter sehe, wenn sie kommt, oder den ich im Spiegel sehe.* Der Wachstumsprozeß erfährt eine Verzerrung, weil die Integrität des Kindes zerbrochen ist.

Viele Kinder, und vor allem Kinder von Eltern, die nicht besonders gebildet und ohne größere Ambitionen sind, müssen Brüche dieser Art, die so katastrophale Folgen haben, nicht erleben. Diese Kinder haben die Möglichkeit, sich zumindest in den frühen Lebensphasen entsprechend ihren angeborenen Tendenzen zu entwickeln. Sie haben Glück.

Unglücklicherweise gibt es aber auch Kinder, und gerade Kinder in hochstehenden Kulturen, die ihr Leben lang unter einer gewissen Verzerrung ihrer persönlichen Entwicklung leiden, die Folge mangelnder Vorhersehbarkeit ihrer frühen Umgebung beziehungsweise Folge des Hereinbrechens unvorhergesehener Geschehnisse ist. Diese Kinder verlieren das deutliche Gefühl: *Ich bin; ich bin ich; ich existiere hier und jetzt; auf dieser Grundlage kann ich mich anderen Menschen nähern, ohne daß mein eigenes Fundament bedroht ist.*

Weiter oben habe ich davon abgeraten, daß Eltern sich allzu intensiv mit den Entwicklungsprozessen und angeborenen Tendenzen ihres Kindes beschäftigen. Es scheint mir indessen nicht ganz nutzlos zu sein, wenn sie sich Gedanken über die Qualität der Umgebung machen, die sie ihrem Kind bieten. Eines ist sicher: Wenn eine Mutter weiß, daß das, was sie tut, für ihr Kind lebenswichtig ist, dann kann sie ihre Sache sehr viel besser verfechten, falls leichthin empfohlen wird, Mütter und ihre kleinen Kinder sollten voneinander getrennt werden. Das heißt nur allzu oft, daß das Kind eine unpersönliche Betreuung erfährt.

In dieser Hinsicht haben wir alle noch viel zu lernen. Das betrifft zumal Ärzte und Schwestern, die im Zusammenhang mit Gesundheit und Krankheit in erster Linie an den Körper denken. In dieser Hinsicht müssen Mütter und Väter ihre Sache selbst vertreten, denn niemand sonst wird das für sie tun. Niemand kann daran so interessiert sein wie die Eltern selbst.

Das bringt mich zum letzten Punkt, den ich so formulieren möchte: Selbst das, was ich mit »guter Versorgung«, mit Verläßlichkeit, mit Anpassung an die Bedürfnisse des kleinen Kindes umschrieben habe, muß man nicht lernen. Irgendwie bewirkt die Tatsache, daß man ein kleines Kind hat (ja schon die Tatsache, daß man daran denkt, ein Kind zu adoptieren), eine Veränderung: Die Eltern orientieren sich auf diese besondere Aufgabe hin. Ich wollte diesem Phänomen einen Namen geben und nannte es schließlich »primäre Mütterlichkeit« – aber was ist schon eine solche Bezeichnung?

Diese Ausrichtung auf die Bedürfnisse des Babys hängt mit vielen Dingen zusammen, unter anderem damit, daß Mutter und Vater verborgene Erinnerungen mit sich herumtragen, Erinnerungen daran, daß sie selbst einmal kleine Kinder gewesen sind, daß auch sie Verläßlichkeit erfahren haben, vor unvorhersehbaren Dingen geschützt worden

145

sind und die Chance hatten, ihre höchst individuelle persönliche Entwicklung durchzumachen.

Die Natur hat im Blick auf dieses sehr dringende, ja unabweisbare Bedürfnis von Babys und kleinen Kindern vorgesorgt, indem sie es den Eltern als etwas ganz Natürliches erscheinen läßt, ihre Welt und ihren Blickwinkel vorübergehend, nur für ein paar Monate, einzuengen, so daß die Welt sich auf diese Mitte konzentriert und nicht überall drumherum.

# Zusammenfassung

Wir können Streßerfahrungen kleiner Kinder also unter zwei Aspekten betrachten: Wir können uns mit dem inneren Streß und mit den Belastungen befassen, die mit der emotionalen Entwicklung einhergehen. Der andere Aspekt hat eine größere praktische Bedeutung (es sei denn, wir betrachteten ihn als Psychoanalytiker) insofern, als in diesem Fall die Belastung aus einem relativen oder groben Versagen der Umwelt resultiert. Dieses Versagen kann als mangelnde Verläßlichkeit, Zerstörung des Vertrauens und ein Hereinlassen von Unvorhersehbarem beschrieben werden; das führt dazu, daß die Kontinuität der individuellen Lebenslinie eines Kindes ein für allemal oder nach einem sich wiederholenden Muster unterbrochen wird.

Ganz allgemein ist zu sagen, daß gute Versorgung, Verläßlichkeit und selbstlose Anpassung Qualitäten sind, die man suchen muß, nicht aber Dinge, die sich lehrend und lernend erreichen ließen. Babys sind bei der Auswahl ihrer Mütter gar nicht ungeschickt, jedenfalls was die von mir so genannte primäre Mütterlichkeit angeht. Darüber hinaus würde ich ihre Fähigkeiten nicht allzu hoch einschätzen. Auf jeden Fall müssen sie versuchen, aus den Eltern, die sie vorfinden, das Beste zu machen.

(1969)

**Psychosozial-Verlag**

Donald W. Winnicott

## Babys und ihre Mütter

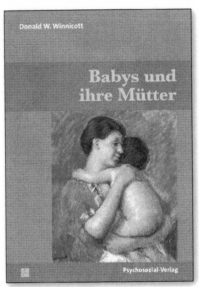

2023 · 116 Seiten · Broschur
ISBN 978-3-8379-3224-9

▸ **Donald W. Winnicott war der Erste, der das Studium der kindlichen Entwicklung und der psychoanalytischen Theorie in die Pädiatrie einführte**

»So etwas wie ein Baby gibt es nicht.« In diesem berühmten Satz Winnicotts spiegelt sich die grundlegende Einsicht des britischen Kinderarztes und Psychoanalytikers wider, dass das Baby anfänglich eng mit seiner Mutter verbunden ist. Damit es sich entwickeln kann, ist die Fürsorge der »ausreichend guten Mutter« notwendig.

In *Babys und ihre Mütter* spricht Winnicott auf anschauliche Weise über die zentralen Themen der Kindheit: die Grundbedürfnisse jedes Babys, das Stillen als erster Dialog und »Stoff zum Träumen«, die frühesten Zeichen der Persönlichkeit und das Wesen der nonverbalen Kommunikation in der Mutter-Kind-Dyade.

▸ **Zentrale Überlegungen zur Beziehung zwischen Müttern und ihren Babys**
▸ **Verdeutlicht, wie die hingebungsvolle Mutter Bedürfnisse ihres Babys erfüllt und die Grundlagen für dessen zukünftige psychische Gesundheit legt**

Walltorstr. 10 · 35390 Gießen · Tel. 0641-969978-18 · Fax 0641-969978-19
bestellung@psychosozial-verlag.de · www.psychosozial-verlag.de

# Psychosozial-Verlag

Donald W. Winnicott

# Der Anfang ist unsere Heimat

## Essays zur gesellschaftlichen Entwicklung des Individuums

Die psychoanalytischen Arbeiten von Donald W. Winnicott beeinflussen die Psychoanalyse und ihre verschiedenen Schulen nachhaltig. Seine Erkenntnisse erfuhren auch außerhalb von Wissenschaft und professioneller Praxis viel Zustimmung, weil er sich nicht scheute, sie vor fachfremdem Publikum vorzutragen. Das Themenspektrum der hier versammelten Vorträge reicht von der Entwicklung des Individuums über die Mutter-Kind-Dyade bis hin zu brisanten gesellschaftspolitischen Fragestellungen. So zeigt Winnicott, wie sehr die Art und Weise, wie wir das Leben, den Menschen und die Gesellschaft betrachten, von der Psychoanalyse beeinflusst ist.

2019 · 304 Seiten · Broschur
ISBN 978-3-8379-2905-8

»Eine lesenswerte Feierabend- und Feiertagslektüre für Kinderärzte mit dem Bedürfnis, über den Tellerrand ihrer Alltagsprobleme hinaus zu denken.«

*Hermann Olbing,*
*Monatsschrift Kinderheilkunde*

Walltorstr. 10 · 35390 Gießen · Tel. 0641-969978-18 · Fax 0641-969978-19
bestellung@psychosozial-verlag.de · www.psychosozial-verlag.de